Renate Bergmann, geb. Strelemann, wohnhaft in Berlin. Trümmer-frau, Reichsbahnerin, Haushaltsprofi und vierfach verwitwet: Seit Anfang 2013 erobert sie Twitter mit ihren absolut treffsicheren An- und Einsichten – und mit ihren Büchern die ganze analoge Welt.

Torsten Rohde, Jahrgang 1974, hat in Brandenburg / Havel Betriebs-wirtschaft studiert und als Controller gearbeitet. Sein Twitter-Account @RenateBergmann, der vom Leben einer Online-Omi er-zählt, entwickelte sich zum Internet-Phänomen.

«Ich bin nicht süß, ich hab bloß Zucker» unter dem Pseudonym Renate Bergmann war seine erste Buchveröffentlichung – und ein sensationeller Erfolg. Darauf folgten zahlreiche weitere, nicht min-der erfolgreiche Bände und ausverkaufte Tourneen.

RENATE **BERGMANN**

Ich habe gar keine
ENKEL

Die **Online-**_Omi_ räumt auf

Ein bischen zum
Schmunzeln !

Viel Spaß beim lesen.

Rowohlt Taschenbuch Verlag

Originalausgabe
Veröffentlicht im Rowohlt Taschenbuch Verlag,
Reinbek bei Hamburg, September 2018
Copyright © 2018 by Rowohlt Verlag GmbH,
Reinbek bei Hamburg
Umschlaggestaltung any.way, Barbara Hanke / Cordula Schmidt
Umschlagillustration Rudi Hurzlmeier
Gesamtherstellung CPI books GmbH, Leck, Germany
ISBN 978 3 499 27434 3

Psssst ....

Guten Tag!

Hier schreibt Renate Bergmann. Entschuldigen Se, wenn ich flüstere, aber man weiß ja heutzutage nie, wo sich die Gängster überall verstecken.
Bitte kontrollieren Se, ob Sie auch die Haustür abgeschlossen haben, bevor Sie weiterlesen. Am besten doppelt.
Heute muss ich Ihnen von einer aufregenden Geschichte berichten.
Es ist im Grunde ein Wunder und nur der Tatsache zu verdanken, dass ich so aufmerksam und regelmäßig «Aktendeckel XY» gucke, dass ich hier sitzen und Ihnen schreiben kann. Fast hätte mich nämlich so ein Raudi um meine paar Kröten gebracht! Und dann wäre ich im Armenhaus gelandet bei Wasser und Brot und ohne Klappcomputer, jawohl. Ich sage nur: «Enkeltrick», wenn Se verstehen, was ich meine.

Es war an einem Dienstag. Ich weiß es noch ganz genau. Ich wollte mir gerade das Abendbrot machen, da schellte das Telefon. Der Hausapparat, nicht das Händi.

«Nanu», dachte ich, «wer läutet denn da um diese Zeit noch an?!» Die Uhr ging schließlich schon auf sechs, da macht man doch keine Anrufe mehr.

Ich meldete mich wie immer höflich und korrekt: «Teilnehmer Bergmann, Spandau, guten Tag?» Am anderen Ende hörte ich es atmen, und dann fragte eine Bengelstimme: «Oma? Hallo, Oma! Nu rate mal, wer hier schprischt!»

«Junger Mann, wir sind hier nicht bei ‹Rate mal mit Rosenthal›. Sagen Se, wer Sie sind und was Sie wollen, und hören Sie mit dem Quatsch auf!»

So was! Eine Unverschämtheit. Wissen Se, ich hatte schon das Teewasser aufgesetzt und mir meine Stullen geschmiert. Da kommt eine solche Störung doch ungelegen. Erst recht, wenn nur rumgestammelt wird und der Anrufer nicht sagt, wer er ist und was er will.

Denken Se sich nur: Der Rotzlöffel wollte mir im Laufe des Gesprächs tatsächlich weismachen, er wäre mein Enkel! Ob ich ihn denn nicht erkennen würde, fragte er. Wie sollte ich? Ich habe gar keine Enkel! (Merken Se sich das bitte, das wird für die Geschichte noch wichtig!) Na, da hatte er sich aber die Falsche ausgesucht!

Weil ich eben seit über 50 Jahren jeden Monat «Verbrecherjagd XY» im Fernsehen gucke, merkte ich sofort auf. Ganz aufgeregt war ich, und das Herz schlug mir bis zum Hals. Der unverschämte Bengel war natürlich nur die Spitze des Eisbergs, sozusage nur der

Vorgeschickte einer verdeckt und international operierenden Bande. Sicher, ich hätte auch einfach in die Trillerpfeife pusten und ihm zu Ohrensausen verhelfen können, aber davon wären wir ja den Hintermännern nicht auf die Spur gekommen. Eine Renate Bergmann ist eine Frau der Tat und keine wimmernde Oma, die zur Kripo rennt und heult. Man sieht doch jeden Tag, was die machen – gar nichts! Die haben kein Geld, kein Personal und keine Lust. Ich weiß, was los ist. Als ich damals den Diebstahl meiner Friedhofsharke gemeldet habe, na, da musste ich drei Mal wiederkommen! Am Ende hat ein schwitzender, sehr beleibter Beamter nach zwei Stunden Wartezeit meine Anzeige auf der Schreibmaschine aufgenommen. Und als ich angerufen habe, weil ich dachte, die Frau Berber wird ermordet, da dauerte es über eine Stunde, bis sie eine Fußstreife zu uns nach Spandau geschickt haben.

Nee, hier mussten wir selber handeln. Das wusste ich gleich. Den Halunken würden wir uns schnappen! Und nicht nur ihn, sondern seine ganze Bande!

Ich überlegte.

Meine Freundin Gertrud würde ich einbinden müssen, die war unverzichtbar. Bestimmt brauchten wir einen Spürhund, und auch wenn Norbert, ihr Doberschnauzer, sehr verspielt ist – wittern kann er sehr gut. Zumindest Hundekuchen und Schokolade. Außerdem nennt Kurt die Gertrud wegen ihres Reizdarms immer «Nick Knatterton». Das passte! Hihi.

Kurt. Ja. Ihn und Ilse musste ich auch in die Ermittlungsmannschaft aufnehmen, schließlich brauchten wir den Koyota als Einsatzfahrzeug. Und Kurt kann als Einziger von uns noch Auto fahren. Ja. Also, er tut es zumindest. Ich will das hier nicht weiter ausführen, wir sind bisher immer angekommen, meist sogar da, wo wir hinwollten. Sicher, seine Augen sind nicht mehr die besten, aber wenn ich die Wahl habe zwischen Kurt und Gunter Herbst, nehme ich Kurt. Gunter hört doch nichts! Da muss man die Strecke brüllen und letztlich noch beherzt ins Lenkrad greifen, wenn man sichergehen will, dass er abbiegt. Kurt gehörte unbedingt dazu! Ilse ist gut zum Kartelesen und Schmierestehen zu gebrauchen. Und sie kann ganz prima «Passt bloß auf, macht vorsichtig, nicht, dass noch was passiert!» rufen.

Und ich? Na, ich bin eben wie dafür gemacht, den Dingen auf den Grund zu gehen! Hatte nicht Gertrud neulich erst «Du siehst aus wie Miss Marple, Renate» zu mir gesagt, als das schicke karierte Kostüm aus dem Teleschoppingkaufhaus ankam? Und die Meiser und die Berber, meine Hausgenossinnen, reden hinter meinem Rücken sowieso nur als «die spitzelnde alte Wachtel» von mir. Bloß, weil ich ein Auge darauf habe, was im Haus passiert.

Und wer wem welche Briefe schickt.

Nee, das war klar. Wir würden uns der Sache annehmen und die Gängster zur Strecke bringen, die alte Leute um ihr mühsam Erspartes bringen.

Die sollten uns kennenlernen!

Ich packte gleich die Tasche mit dem Wichtigsten, was wir brauchen würden: Lupe, Notizblock, Stadtplan, Händi, Pfefferspray, Rheumasalbe und Korn.

Die Jagd konnte beginnen.

Was wir dabei erlebt, ob und wie wir die Raudis gefangen und was wir nebenher noch so alles rausgefunden, ermittelt und aufgedeckt haben – das schreibe ich Ihnen alles auf. Machen Se sich auf was gefasst!

Ihre Renate Bergmann

PS: Wissen Sie, was Stefan meint, wenn er von «CSI Kukident» spricht? Ich finde im Interwebs dazu nichts.

Es ist ja doch ein großer Unterschied, ob einem sein Stündlein geschlagen hat oder seine Stunde

Es war der Donnerstag, nachdem der Enkelbetrüger bei mir angeläutet hatte. Andere wären nach so einer Erfahrung vielleicht fix und fertig gewesen mit den Nerven und hätten den Rentnerkaffee abgesagt, aber eine Renate Bergmann nicht.

Ach, «Seniorenverein», meine ich. Die olle Kuckert hat sich aufgeregt und wollte es umbenannt haben. Wilma Kuckert. Sie ist Rechtsverdreherwitwe. Keiner mag sie recht. Wissen Se, ich bin bestimmt keine, die auf einsamen alten Leuten rumhackt. Aber Wilma hat nicht nur keine Freunde, sie macht sich auch noch jeden zum Feind. Sogar Ilse! Dabei trägt Ilse Spinnen vor die Tür und lässt sie frei, statt ihnen mit dem Staubsauger den Garaus zu machen. Wissen Se, was Ilse gesagt hat? «Wenn Wilma diese Welt verlässt, dann gibt das hier ein Freudenfest!», hat sie gereimt! Nee, was haben wir gelacht. Seit sich Wilma bei der Rentnerwanderung bei Kurt untergehakt hat, weil sie der Schuh drückte, ist Ilse nicht gut auf sie zu sprechen. Da vergisst sie glatt, dass sie eine ganz Liebe ist. Na ja, wir sagen jetzt jedenfalls «Seniorenverein» und nicht mehr

Rentnerclub, weil sich sonst wohl viele auf den Schlips getreten fühlen, wie Wilma sagt. Statt dass se stolz sind, alt zu sein und so viel Erfahrung zu haben, schummeln sie mit den Jahren! Sie färben sich die Haare, lassen sich die Falten wegoperieren und wollen nicht alt genannt werden. Himmel herrje, wissen Se was, ich sage Ihnen eins: Alt werden wir alle, da kann keiner was dagegen tun, und je eher man sich damit abfindet, desto länger und besser wird diese schöne Zeit!

Die Wilma lässt sich ja immer mit der Taxe zum Rentnerclub fahren. Pah! Alle kommen entweder mit dem Auto oder, wenn sie nicht mehr allein fahren können, mit dem Bus. Der eine oder andere lässt sich von den Enkeln fahren, weil es nach dem Kaffee mitunter noch ein Bier oder einen Schoppen «Mädchentraube» gibt. Ich habe meinen Neffen, den Stefan, auch schon gefragt, ob er uns nicht abholen kann, aber so richtig will er nicht. Er windet sich und kommt mit Ausreden. «Drei Duftbäumchen auf der Rückbank» hat er uns genannt, nur weil Ilse, Gertrud und ich uns fein machen und einen Spritzer Kölnisch Wasser auflegen, wenn wir ausgehen. Nee, der Bengel! Aber wenn es drauf ankommt, hat eine Renate Bergmann ihre Tricks. Ich habe ihn angerufen und gesagt, dass wir gerade gemütlich beisammensitzen und Kinderfotos von ihm anschauen. Was meinen Se, wie schnell der da ran war!

Die Kuckertsche fährt jedenfalls mit Limousine vor und lässt sich vom Fahrer sogar die Tür aufhalten und beim Aussteigen helfen. So eine Etepetete ist das. Als sie das erste Mal zu uns kam, ist sie durch die Räume spaziert und hat gemurmelt: «Hübsch, ja. Einfach, aber hübsch», und dann ging das Gemecker auch schon los. «Rentner» klinge so alt, moserte sie rum und schlug eben «Seniorenverein» vor. Mir ist das schnuppe, was draußen draufsteht, wissen Se, solange drinnen immer noch dasselbe ist … und das sind wir Rentner! Pah. Man muss die Leute manchmal glauben lassen, dass sie recht haben, und einfach trotzdem weitermachen wie bisher. Also haben wir uns umbenannt.

Bei unserem Kaffeenachmittag kommen alle Alten aus dem Kiez zusammen, ach, das ist immer schön. Man ist mal raus, sitzt gemütlich beieinander und erfährt, was es Neues gibt.

Wir vom Vorstand machen auch die Tischordnung und sehen zu, dass wir alle mal durchrutschen lassen. Es hat ja keinen Sinn, dass Gertrud, Ilse, Kurt und ich an einem Tisch sitzen, nicht wahr? Wir sehen uns bald jeden Tag, was soll man sich denn da immerzu erzählen? Nee, wir gucken, dass wir uns aufteilen und an die anderen Tafeln gehen. Hinterher, auf der Heimfahrt mit dem Koyota, können wir uns austauschen und auf den aktuellen Stand bringen. So wissen wir immer gut Bescheid, was in Spandau los ist: wenn eine in anderen Umständen ist, wer schon wieder fremdgeht oder ins Heim kommt. Die Enkelin vom alten Herrn Heckenschroff arbeitet beim Edeka. Wer bei ihm mit am Tisch sitzt, erfährt manchmal schon lange vor allen anderen, wann Kaffee oder Waschpulver oder gar Korn im Angebot ist. Ariane und Stefan lachen mich dafür zwar aus, aber man kann doch ganz anders planen, wenn man einen Wissensvorsprung hat! Denken Se sich nur, ich kaufe zum Beispiel noch eine große Packung Pralinen ein, und zwei Wochen später sind die eins fuffzich billiger. Da ärgert man sich doch! Aber so sind junge Leute. Die haben eben die schweren Jahre nach dem Krieg nicht mitgemacht, als wir jeden Pfennig zweimal umdrehen mussten … na ja. Jeder nach seiner Fassong. Ich sage nur: Solange Stefan noch rauchen kann – bald zwei Päckchen die Woche! –, müssen se es recht dicke haben, und der Junge kann seine alten Tanten dann und wann auch mal mit dem Auto fahren.

Nee, Ilse und ich machen immer eine schöne Tischordnung. Wir sind alte Spandauerinnen und wissen nach so vielen Jahren genau, wer mit wem kann und wer nicht. Frieda Klotz und Hermine Hinkel zum Beispiel darf man nie zusammen platzieren, weil Hermine nämlich 64 auf der Silvesterfeier Friedas Fritz das Neujahrsküsschen auf … Aber das führt hier womöglich zu weit. Jedenfalls weiß man nie, ob die Geschichte nicht wieder hochkommt nach all den Jahren. Da will dann keiner dabei sein.

Man muss auch gucken, nicht nur die gleichen Krankheiten an einen Tisch zu setzen. Wenn Sie dreimal Rücken zusammen platzieren, haben die ganz schnell einen Fachkreis über Orthopädie, und die arme Galle daneben langweilt sich und trinkt einen Bohnenkaffee nach dem anderen, was das Problemorgan nur noch mehr reizt. Nee, da muss man sich Mühe geben und zusehen, dass man Rücken, Knie, Leber und Blutdruck mischt. Zucker passt überall mit hin, Zuckerleute sind gesellig und spielen sich nicht so in den Vordergrund. Aber Rücken sind ganz schlimm, die Rücken jammern in einer Tour und versauen einem im Rudel den ganzen schönen Kaffeenachmittag. Gertrud mit ihrem Reizdarm muss sowieso immer in der Nähe eines angekippten Fensters sitzen. Sie sehen schon, es erfordert einiges an Umsicht und Feingefühl, damit die Tischordnung gelingt und es ein schöner Nachmittag wird.

Man muss aber auch aufpassen, dass niemand aufsteht und einfach an einen anderen Tisch geht. Sonst war am Ende womöglich alles umsonst, und der ganze schöne Plan artet in eine Reise nach Jerusalem aus.

An diesem Kaffeedonnerstag saß ich jedenfalls mit Lotte Lautenschläger an der Tafel. Ich kenne Lotte als gesellige Person, die nie um einen kleinen Spaß verlegen ist, aber heute war sie ganz betrübt.

Lotte ist eine treue Seele, die ihr Leben lang fleißig gearbeitet und sich nichts zuschulden kommen lassen hat. Sie war früher Zahnarzthelferin, als das noch so hieß und nicht «zahnmedizinische Fachangestellte». Die hat genug Elend gesehen in über 40 Dienstjahren am Spucknapf, kann ich Ihnen sagen. Nu saß se ganz traurig hinter ihrer Kaffeetasse und wollte nicht so richtig mit der Sprache raus. Zweimal habe ich gefragt, aber sie blieb stumm. Da weiß eine Renate Bergmann, dass sie besser nicht weiterbohrt. Dass sie nicht erzählen wollte, lag aber nicht an mir, sondern an der übrigen Gesellschaft am Tisch. Ich hatte mich nämlich geopfert und Wilma Kuckert mit zu uns genommen.

Lotte guckte ins Leere und aß ihren Streuselkuchen ohne rechten Appetit. Dieses Mal hatte Ilse gebacken. Er war trocken und bröselte von der Kuchengabel, aber es war nun auch nicht so schlimm, dass Lottes Verstimmung daran gelegen haben könnte. Ich ließ es aber dabei bewenden, parlierte mit der Anwaltswitwe, und als die endlich mal austreten ging, machte ich mit Lotte ein Likörchen auf meiner Küchenbank aus. Sie hatte Tränen in den Augen, denken Se nur!

Mir ließ das gar keine Ruhe. Gleich am nächsten Tag rief ich sie an, und schon nach dem Mittag saß Lotte auf meinem Küchensofa. Kennen Se noch ein Küchensofa? Ach, ich finde das so gemütlich! Küchen sind in meinen Augen sowieso der Ort, an dem man am leichtesten ins Gespräch kommt. Es ist weniger gezwungen als in der guten Stube, und vieles ergibt sich einfach so nebenher beim Abwasch oder beim Gemüseputzen. Mein Franz liebte die Küchencouch auch, der hat oft ganze Wochenenden darauf verbracht. Er hat da geschlafen, sich die Fußnägel geschnitten, Zeitung gelesen und gegessen. Und wenn es ran war … na, was soll ich mich dummhaben wie die Zick am Strick? Ich sage es frei heraus, wir waren jung, und da sind wir manchmal nicht in die Schlafstube gegangen, wenn das Verlangen über uns kam. Wenn mein Küchensofa Geschichten erzählen könnte, Sie müssten die Ohren anlegen! Mein Katerle schläft da tagsüber, die Frau Meiser, was meine Nachbarin ist, pflanzt sich da hin und wieder drauf und schielt zum Kühlschrank, wenn sie mal was auf dem Herzen hat. (Im Kühlschrank steht der Eierlikör, den ich selbst ansetze und den die Meiser mit Vorliebe schleckert und die Mongscherie, von denen sie auch schon so manche Packung auf den Hüften hat.)

Nun saß also Lotte in meiner Küche, und ich goss gerade das zweite Glas Likör ein, damit ihre Zunge lockerer wurde. «Lotte, nun erzähl mal. So schlimm kann es doch nicht sein: Was ist passiert?», ermutigte ich sie dezent.

Sie atmete bebend tief ein und brachte mit zitternder Stimme immerhin das Wort «Enkeltrick» heraus. Danach flossen nur noch die Tränen. Die gute Lotte war fix und fertig und sachte erst mal gar nichts mehr.

Dabei war Lotte schon die Dritte bei uns im Kiez, die so einen Enkelanruf bekommen hatte. Kennen Se das? Enkeltrick? Ich meine nicht, wenn die Enkel nach Taschengeld betteln und einem vormachen, dass sie diesen Monat noch gar nichts fürs Zeugnis gekriegt haben. Das machen se alle, die jungen Leute. Da muss man nur streng über die Brille gucken und dann sind se meist stille. Und wenn Sie ihnen mal diskret einen kleinen Schein außer der Reihe zustecken, freuen die sich. Das hängt ja auch davon ab, wie groß die Renate ist. Die Rente. Huch, jetzt habe ich ein a zu viel getippt.

Entschuldigen Se.

Nee, der Enkeltrick ist anders. Ich erkläre Ihnen mal, was das ist und wie er geht. Also, da guckt eine Bande die Telefonbücher durch und sucht sich Namen raus, die nach alten Menschen klingen. Wenn einer Friedrich, Oskar oder Wilhelmine heißt, streichen die sich die Nummer an. In ein paar Jahren wird das nicht mehr gehen, denn gerade sind die alten Namen ja wieder sehr modern, und die jungen Eltern nennen die kleinen Geister alle Charlotte oder Fritz. Aber das ist ein anderes Thema. Die werden auch keinen Postanschluss mehr nehmen und sich nicht ins Telefonbuch eintragen lassen. Die haben bestimmt alle nur noch Händi. Dereinst werden die Gängster also die Monikas, Marens und Thomasse anrufen.

Ich habe es ja erlebt, ich weiß, wovon ich rede, und kann aus erster Hand berichten! «Renate» war in den 30er Jahren als Vorname sehr beliebt. Allein beim Seniorentreff sind wir zu fünft! Stellen Se sich nun vor, Sie sitzen als älterer Mensch zu Hause. Da sitzen ja die meisten. Sie gucken eine schöne Serie oder machen gerade den Abwasch oder wischen Staub – da läutet das Telefon. Sie gehen ran, und am anderen Ende der Leitung ist ein junger Mann oder eine junge Frau und brüllt einen durch eine vorgeblich schlechte Leitung an: «Oma? Bist du es? Rate mal, wer hier ist!» Na, nun überlegen Se mal. Man ist ja verdattert im ersten Moment. Wie oft rufen die Enkel schon an? Höchstens am Geburtstag. Meist abends, wenn die Mutti sie erinnert hat: «Hast du wohl an Omas Geburtstag gedacht?» Dann schellt um halb acht der Postapparat, und der Connor oder die Vivienne ist dran, rattert in eins dreißig Glückwünsche runter, und das war es wieder bis Weihnachten. Woher kennt man denn noch die Stimme der Enkel?, frage ich Sie. Sicherlich, heutzutage, wo auch die älteren Herrschaften moderner sind, haben viele den Enkel als Fäßbock-Freund. Aber da hört man die Stimme auch nicht. Man sieht nur, wo sie überall unterwegs sind, und fragt sich, was das wohl alles kostet und wie die das mit dem bisschen Lehrlingsgeld wohl hinkriegen, ohne Dummheiten zu machen.

Also, was sagt man, wenn einen jemand «Oma» nennt und raten lässt, wer dran ist? Je nachdem, ob es eine weibliche oder eine männliche Stimme ist, denkt man «Vivienne» oder «Connor» oder wie die Blagen eben heißen. «Die Waltons vom Prenzlauer Berg» sozusagen, hihi. Wie viele Enkel hat man denn? frage ich Sie. Ich zum Beispiel habe gar keine Enkel, das wissen Se ja.

Aber da kommen wir später drauf.

Wenn der Gängster Glück hat – und die Wahrscheinlichkeit ist recht hoch, dass das klappt –, sagt die Oma: «Vivienne?», und schon isse in die Falle gegangen. Die falsche Vivienne erzählt, dass sie ganz dringend Geld braucht, weil sie die einmalige Gelegenheit hat, ein

Grundstück oder ein Auto zu kaufen. Das Angebot ist unverschämt günstig, weshalb alles ganz schnell gehen muss. Die Vivienne braucht Geld, und zwar viel. Meist Tausende! Sie fragen oft noch, wie viel die Oma denn wohl auf der hohen Kante hat, und wenn die sagt: «Auf dem Sparbuch sind 13 000», dann antwortet das Gängster-Gör so sinngemäß: «Also fehlen mir nur noch 2000, aber die kriege ich schon zusammen.» Es geht eine Weile hin und her, die Vivienne macht Hektik und drängelt, dass sie wirklich keine Zeit zu verlieren hat. Sie scheucht die Oma zur Sparkasse und bläut ihr ein, dass sie um Himmels willen niemandem auch nur ein Sterbenswort davon erzählen dürfe, weil es eine Überraschung für die Mutti werden soll. Sie sagt vielleicht, dass nächste Woche der Bausparer fällig werden soll und dass die Oma das Geld zurückbekommt mit Zins und Zinseszins und einer Schachtel Konfekt obendrauf, um sie zu beruhigen und letzte Zweifel zu zerstreuen.

Das ist ungefähr die Kurzfassung. Bei mir haben se ja auf Granit gebissen, aber so bedröppelt, wie Lotte hier auf dem Küchensofa saß, war ganz klar, dass die denen auf den Leim gegangen war. Sie nippte schluchzend an ihrem Likör. Langsam beruhigte sie sich ein bisschen. Lotte verträgt ja keinen Korn und trinkt immer nur so süßes Schlabberwasser in den Varianten Johannisbeere, Kirsche und Heidelbeere. Es schmeckt alles ganz fürchterlich süß und man hat hinterher die klebrigen Likörschalen im Abwasch, nee, also schon deshalb ist das für mich nichts.

Ich goss noch mal ordentlich nach, und endlich erzählte Lotte die ganze Geschichte. Denken Se nur: Das gleiche böse Spiel haben sie mit ihr gespielt! Genau so war es, nur dass ihre «Vivienne» eine «Sandra» war. Ein paar Anrufe lang ging es wohl hin und her, dann stand fest, dass Lotte zur Sparkasse musste und 9000 Euro holen sollte.

Lotte hatte sich sehr beeilt, aber in Räuberzivil konnte sie nicht auf die Straße, Eile hin oder her. Wenn man zur Sparkasse geht, dann doch wohl ordentlich angezogen in Rock und Bluse. Lotte hatte sich gerade die Brosche angesteckt und wollte zur Tür raus, da schellte der Apparat wieder. Die jungsche Person, die sich Sandra nannte, war dran und schimpfte, warum Lotte noch immer zu Hause war. Reineweg böse war sie. Lotte ist hin zur Sparkasse, so schnell es eben ging mit ihrem Hammerzeh. Die Frau Pinscher hat noch ein paar Mal nachgefragt, ob sie wohl wirklich so viel Bares braucht, wofür es ist und ob sie sich das gut überlegt hat, aber da die nachgemachte Enkelin ja darauf bestanden hatte, dass sie keiner Sterbensseele ein Wort sagen dürfe, hielt sie den Mund und steckte die großen Scheine in den BH.

Lotte nippte wieder am Likörschälchen, an dem sich nun schon ein kleisteriger Rand gebildet hatte. Das würde ich gleich einweichen müssen, wenn sie weg war.

Sie erzählte weiter. Ganz außer Atem war sie, als sie zu Hause die drei Treppen hoch war, und kaum, dass sie in den Flur kam, schellte schon wieder der Apparat.

Lotte meinte, es klingelte fast vorwurfsvoll. Sie konnte nicht mal die Kappe absetzen und war noch im Mantel, als sie abnahm. Da schimpfte ihr die Person schon entgegen, warum sie so lange weg gewesen war. Die Enkelimitatorin redete ganz schnell, berichtete Lotte. Dass es nun schon sehr spät und der Mann mit dem Auto und den Papieren schon da wäre und dass sie nun nicht selbst vorbeikommen könnte, um das Geld abzuholen, da der Autoverkäufer ja bei Laune gehalten werden musste. Sie machte noch ein bisschen Druck und sagte, dass Lotte Schuld hätte, wenn das Geschäft schiefgeht und sie die einmalige Gelegenheit verpasst. Stattdessen würde sie ihren neuen Freund schicken, den Kevin. Der würde das Geld holen. Lotte solle keine Zicken machen, ihm das Geld geben und bloß keine weiteren Verzögerungen mehr verursachen. Lotte hatte noch einen ganz kleinen hellen Moment und fragte: «Aber Sandra, woher weiß ich denn, dass das auch wirklich dein Freund ist?» – «Ach Oma. Du weißt doch noch, was früher, als kleines Mädchen, mein Lieblingsessen bei dir war?» – «Aber Mäuschen, wie könnte ich das vergessen? Milchreis! Den mache ich dir gern wieder mal, wenn du nächste Woche kommst und das Geld zurückbezahlst!» – «Genau. Das machen wir, Omi. Ach, da freue ich mich. Du fragst den Kevin nach meinem Lieblingsessen, und dann weißt du, dass er der Richtige ist. Ich muss jetzt Schluss machen, ich habe hier Stress, wir sehen uns nächste Woche. Danke schön, Omi, das vergesse ich dir nicht.»

Ich goss vom klebrigen Gesöff nach und deutete Lotte, dass sie weiterreden sollte. Sie hatte gerade einen Lauf ohne Tränen und Seufzen, das musste man nutzen. Lotte nahm einen großen Schluck und fuhr fort.

Es kam, wie Sie sich es vielleicht schon denken; diese selten einfältige Person hat tatsächlich an der Haustür einem wildfremden Bengel, den sie noch nie gesehen hatte, das Ersparte rausgegeben. In bar und ohne Quittung, nur gegen die Parole «Sandra isst gern Milchreis». Erst als der Halunke weg war, fing die Lotte an zu überlegen. Sie wählte die Nummer der echten Enkelin, die sich nach etlichen Anläutsekunden endlich meldete. «Omi! Dass du mich mal anrufst … Wie geht es dir denn?» Da schwante der Lotte das erste Mal, dass sie wohl ziemlichen Bockmist gebaut hatte. Ganz blümerant im Magen sei ihr geworden, erzählte se. Die echte Sandra ließ sich am Telefon kurz wiedergeben, was passiert war, bevor sie schnurstracks und außer der Reihe bei der Omi vorbeikam. «Geschimpft hat sie», seufzte Lotte, «und mit Recht. Weißte, Renate, ich komme mir wie ein tüdelige olle Tante vor. Das waren meine ganzen Ersparnisse!» Wieder schniefte sie.

Ich gab ihr nichts mehr vom Likör. Wissen Se, auch wenn er nur 20 % hatte – ich kenne Lotte! Die verträgt doch nichts! Wenn wir beim Rentnervergnügen beisammensitzen und meinetwegen auf die Gesundheit eines neuen Urengelchens anst… nee, warten Se. Jetzt bin ich abgerutscht. Urenkelchens, muss es heißen. Das sind ja nun beileibe nicht immer Engelchen, hihi! Wenn einer von uns Alten einen neuen Urenkel bekommen hat und wir auf die Gesundheit anstoßen und dass das Kind gut pullern kann, kriegt Lotte nach zwei Schlückchen Sekt schon rote Pusteln im Dekolletee. Sie bekommt aufsteigende Hitze und muss sich Luft zufächeln. Da ist sie wie Ilse. Auf Ilse muss man achtgeben, sonst erzählt sie nur wieder einen Schwank aus unserer Jugend, und das muss nun wirklich nicht sein. Ich war kein Mädchen von Traurigkeit, das können Se sich ja denken, aber das geht niemanden etwas an. Erst recht nicht, wenn Wilma Kuckert dabei ist, die olle Schnippe.

Statt Likör bot ich Bohnenkaffee an. Wir brauchten jetzt einen klaren Kopf.

Eine Renate Bergmann ist nicht auf den Kopf gefallen und weiß Bescheid. «Aktenstapel XY» gucken ist schließlich Bürgerpflicht! Nicht nur, dass man vielleicht Zeuge eines Verbrechens war und Hinweise geben kann, nein, man wird auch aufgeklärt und bleibt auf der Höhe der Zeit, was die Gauner aktuell für eine Masche draufhaben. Enkeltrick ist seit JAHREN ganz oben auf der Liste. Da bin ich im Bilde, da kenne ich jedes Detail. Sollten Sie, die das jetzt zufällig auch lesen, sich je mit dem Gedanken getragen haben, die Oma oder den Opa zu übervorteilen: Schämen Se sich! Denken Se nicht mal im Traum daran! Wir Alten wehren uns und lassen uns das nicht gefallen. Wissen Se, im Grunde habe ich nur drauf gewartet, dass mich mal so eine Kanaille anläutet und es bei mir versucht. Ich habe mir immer vorgestellt, dem das Handwerk zu legen. Aber als es dann so weit war, war ich doch zu ängstlich. Aber wenn die sich noch mal melden …!

Kennen Se das, wenn man hinterher genau weiß, was man Passendes hätte sagen können? Ach, es ist ärgerlich! Im Nachhinein habe ich immer die richtige Antwort parat. Wie damals, als Wilma vor allen Leuten zu mir sagte: «Du mit deiner großen Witwenrente kannst eben große Sprünge machen», fiel mir erst später, als ich auf meinem Duschhocker saß und mich abbrauste, die passende Antwort ein. «Dafür habe ich auch mein Leben lang Männerunterhosen gewaschen, Wilma!», hätte ich sagen sollen. Ach, was würde ich geben für eine zweite Schangse! Die Enkeltrickser sollten es ruhig noch mal bei mir versuchen, denen würde ich zeigen, was eine Harke ist. Eine Renate Bergmann zieht keiner über den Tisch.

Schon deshalb, weil ich ja gar keine Enkel habe! Ich habe Stefan, der ist im Grunde so was wie ein Enkel. Er ist ein Neffe meines verstorbenen ersten Mannes Otto und nennt mich immer Tante Renate. Das ist auch richtig, Ilse hat das ausgerechnet. Sie kennt sich mit Verwandtschaftsverhältnissen gut aus und kann Ihnen sagen, wie die Königin von Spanien mit dem Prinzen von Belgien verwandt ist. Sie hat die Stammbäume der ganzen Königshäuser im Kopf und den der Familie Busch. Trudi Busch ist in unserer Wasserdisko-Gruppe, wissen Se, und sie prahlt alle paar Monaten mit einem neuen Urenkelchen. Manchmal kommt sie aber schon durcheinander. Die Kinder und Enkel schicken ihr ab und an ein Foto, sie wollen sie ja auf dem Laufenden halten. Trudi tut immer so, als läge schon wieder ein neues Baby vor. Dem Himmel sei Dank fragt Ilse immer die Namen ab, passt da auf und hält auch die Trudi auf dem Laufenden über den Enkelbestand. Nicht, dass die olle Busch noch doppelt oder dreifach Geburtskarten mit 50 Euro drin schickt. Das geht doch nicht! Das ist auch ein Art Enkeltrick! Nee, drei Urenkelchen hat sie und keines mehr. Laut Trudi heißen sie alle «Hömma!». Ilse kann auch die Eltern benennen und weiß, wer von wem welchen Unterhalt zu kriegen hat und aus welchem Hause die Väter stammen. Da muss Ilse nicht mal in ein Buch gucken, das merkt die sich alles so.

Sie gibt aber eben jeden Monat an die 100 Euro für Zusatzpillen aus, die der Doktor nicht verschreibt. Sie bestellt das beim Teleschopp. So braune Töpfchen, die ganz edel aussehen. Ilse und Kurt schlucken das Zeug zu jeder Mahlzeit. Für die Knochen, für die Augen und gegen die Verkalkung. Ich war erst ganz besorgt. Wissen Se, ich bin keine, die einfach irgendwas einnimmt. Man weiß ja nie! Wer kennt schon die Nebenwirkungen? Ich weiß noch, Tante Gans – also Gertruds Mutter, Gertrud ist eine geborene Gans –, Tante Gans hat mal Tabletten gekriegt, da durfte sie keinen Kaffee dazu. Ganz wild ist sie geworden und fing des Nachts um drei an, die Betten aus dem Fenster zu hängen und Gardinen zu waschen. Zum Glück wohnten sie auf dem Dorf. Da haben se nur den Doktor gerufen, sie ans Bett gebunden, ihr kalte Umschläge gemacht und den Kaffee weggelassen. Dann ging es wieder. Wenn Se das heutzutage in der Stadt machen, na, da rufen doch die Nachbarn die Feuerwehr, und die bringen einen ins Heim. Da kommt man nie wieder raus.

Der Mann im Fernsehen hatte «Spreewaldhonig» im Angebot, und nun überlegen Gertrud und ich schon die ganze Zeit, ob die Bienen wohl die Gurken weggefressen haben.

Ich bin im Zweifel, ob ich Ihnen wohl jetzt von Ilses Medikamenten erzählen soll oder ob das zu weit vom Thema abschweift. Ach, es passt gerade so schön, hören Se zu: Ilse bestellt seit geraumer Zeit ständig Pillen im Fernsehen. Es ist kaum zu glauben, sage ich Ihnen, ich bin umgeben von Tablettenfressern. Kirsten, meine Tochter, hat einen Hang zum Spirituellen und geht nicht ohne ihre weißen Puffreiskörnchen aus dem Haus, diese Globussi. Die können Se ruhig essen, da passiert nichts. Das ist so, als würde man einen Teebeutel in Dresden kurz in die Elbe halten und das Wasser in Hamburg als Schwarztee verkaufen. Gertrud lässt sich gegen jedes Zipperlein was von ihrem Doktor aufschreiben, und Ilse versorgt Kurt und sich mit ihrem Bioschrott vom Televerkaufsschopp. Sie glauben nicht, was die da alles haben! Zu jeder Mahlzeit gibt es ein halbes Kompott-schälchen voll. Kurt hat schon vier Pfund abgenommen. Nicht weil auch Diätpillen dabei wären, nein, sondern weil er wegen der Handvoll Tabletten jeden Morgen ein halbes Brötchen weniger schafft.

Ilse achtet aber sowieso darauf, dass Kurt nicht zu stark auslegt. Nicht nur, dass seine Hose, in der er mal beerdigt werden soll, Bundweite 32 hat – Sie wissen ja, er ist 87, da muss man immer mit allem rechnen –, nein, sie will auch, dass Kurt im Rentnerverein gut wegkommt. Wilma, diese gehässige Person, sagt immer: «Ein guter Hahn wird nicht fett», wenn einer der Männer eine weitere Hose braucht. Also eine Größe größer. Sie wissen schon. Dann nicken die ollen Frauen und werfen sich kichernd Blicke zu, die so viel bedeuten wie «Bei denen geht unter der Bettdecke eben nichts mehr». Nee, das will Ilse nicht. Schon deshalb hält sie Kurt mit dem Essen kurz.

Ja, und sie macht sich schon Sorgen um die Gesundheit, um die eigene nicht minder wie um die vom Kurt. Sie sind beide fit wie die Fische im Wasser, jedenfalls wenn man ihr Alter berücksichtigt. Sie ahnen es nicht, was die trotzdem noch alles einnehmen! Ich habe mir die ganzen Töpfchen mal angeguckt.

Gerstengras. Die beiden kauen Heu! Ich sach: «Ilse!», sach ich. «Damit füttert Gunter Herbst sein Pferd!» Die alte Hallah, die jetzt 38 Jahre alt ist und die bei ihm im Gnadenbrot steht, wissen Se. Nee, entgegnete mir Ilse, es wäre spezielles Zeug, was mit Zink angereichert ist. Ich habe die Lesebrille aufgesetzt und genau auf dem Etikett nachgelesen, da stand: «Kann ein gesundes Nährstoffprofil unterstützen.» Ich weiß ehrlich gesagt gar nicht, was das ist, ein Nährstoffprofil. Ich mache immer Gemüse zum Braten, da hat man Fitamine dabei und ordentlich Salz und Pfeffer dran sowie fingerbreit Butter. Das waren nun über 80 Jahre lang Nährstoffe genug, da muss ich kein zermahlenes Heu für 30 Euro essen. Man kann nur den Kopf schütteln. In einem anderen Büchschen waren dunkelgolden schimmernde Kapseln, die wie Plasteperlen aussahen.

«Das ist Lachsöl», sprach Ilse fast ehrfürchtig. «Davon nehmen wir morgens und abends jeweils eine. Das ist gut fürs Herz.» Offen gesprochen: Das riecht man, wenn se das genommen haben. Ilse stößt danach immer so fischig auf. Ein weiterer Tiegel war voll mit grünen Pillen, die in ihrem eigenen Staub vor sich hin rotteten. Es wären gepresste Algen, sprach mein Ilschen und rang um Worte. So richtig wusste sie wohl selber nicht, wofür das Zeug gut war. «Für … es ist für das Gesamtbefinden und das Immun. Man kriegt dann weniger Heuschnupfen.» – «Ilse», sagte ich, «wenn du nicht getrocknetes Gerstenheu schlucken würdest, müsstest du auch nichts gegen Heuschnupfen nehmen.» Gläsers hatten noch nie Heuschnupfen. Sie sind schließlich beide vom Land. Ilse und ich saßen als kleine Mädchen oben auf dem Srohballenwagen, wenn die Ernte eingefahren wurde, und winkten den Bauern. Wie soll man da Heuschnupfen bekommen!

Ich sage Ihnen, wenn die Leute alt werden und nichts mehr zu tun haben, fallen sie auf jeden Quatsch rein.

Der halbe Küchenschrank war voll mit diesem Plunder. Ich kann Ihnen hier gar nicht alles aufzählen, aber für jedes Zipperlein gab es was. Überall stand «unterstützt», «kann helfen» oder «trägt dazu bei» drauf. Also alles keine Versprechen, auf die man diese Heilsbringer festnageln könnte, aber doch gaukeln sie einem vor, dass man wieder ohne Krücken klarkäme. Da waren Pülverchen für die Gelenke, für die Augen und für schöne Fingernägel. In einer Dose waren blaue Tabletten. Die hat Ilse aber ganz schnell weggeräumt. Stattdessen hielt sie mir ein Glas Saft hin. Es schmeckte schleimig und ganz furchtbar süß, am ehesten wohl nach Himbeere. «Das sind Gelenkproteine. Damit bauen sich deine Knorpel in der Kniescheibe wieder auf. Die scheuern dann nich mehr aneinander, und es knackt nicht beim Bücken.» Man konnte nur staunen, auf was für blödsinnige Ideen die Leute kommen, die einem das verkaufen. Und dass das bei Ilse klappt! Wissen Se, das ist eine Studierte! Die Frau hat Verstand und lässt sich normalerweise kein X für ein U vormachen. «Ilse, Ilse, nee. Da geht bald die halbe Rente für drauf! Wie oft kaufst du das denn?» Sie wiegelte ab und murmelte, dass man es auf den Tag runterbrechen müsse, und für seine Gesundheit sollten einem ein paar Zent nicht zu viel sein. Das waren nicht Ilses Worte, das hatte die von diesem Fernseh-Quacksalber! Ich kenne mein Ilschen, das hat die nachgeplappert.

Für mich sind diese Scharlatane mindestens genauso gefährlich wie Enkeltrickbetrüger. Im Grunde ist das nichts anderes als Kaffeefahrt im Fernsehen, wenn Se mich fragen. Die gucken ganz direkt mit Dackelaugen in die Kamera und sprechen die Leute an: «Zwickt es

Ihnen auch oft im Rücken, oder haben Sie eine Befindlichkeit beim Treppensteigen?», fragt die Motoratorin meist. Die sind ja nicht dumm, die kommen immer von links durchs Knie ins Auge mit Worten wie «Befindlichkeit» oder «Unwohlsein», weil se nämlich keine Heilsversprechen machen dürfen! Und ich frage Sie: Welchen alten Menschen zwickt es denn nicht mal in den Knochen? Da fühlt sich jeder angesprochen. «Wenn morgens nichts weh tut beim Aufstehen, biste tot», hat Opa schon immer gesagt. Man stimmt den Quacksalbern leise zu, und schon packen se die Keule aus: «Oh, ich höre gerade aus der Regie, dass es sehr knapp wird, wir haben nur noch 200 Gelegenheiten und 180 Anrufer in der Leitung. Wenn Sie schon morgen die Linderung spüren wollen, wird es allerhöchste Zeit, jetzt zum Hörer zu greifen. Lassen Sie sich diese Gelegenheit nicht entgehen!» So säuseln die da rum und packen die ollen Leute bei ihren Zipperlein. Sie reden ihnen quasi ein schlechtes Gewissen ein. Dass sie es ja selbst in der Hand hätten, was dagegen zu tun, man müsste nur anrufen und für 30 Euro etwas bestellen. Gucken Se da mal rein in so eine Sendung, man kommt aus dem Lachen gar nicht wieder raus. Alles ist immer reine Natur, vegan und bio und so, es hat keine Broteinheiten, damit auch Diabetiker mitmachen können und jeder das Zeug kauft. Bei den Wirkstoffen tun se immer geheimnisvoll und kommen mit irgendeiner Wurzel oder Beere, die nur im brasilianischen Dschungel wächst, damit man ja nicht auf die Idee kommt, dass man die Sachen ja auch selbst im Wald sammeln kann. Und so preisen die da Prepperate für die Leber, gegen Verkalkung, für den Appetit, zum Abnehmen und sogar zum Einschlafen und gegen Schuppenflechte an, alles, was alte Leute eben so beklagen. Und da die viel Zeit und Langeweile haben und diesen Quatsch gucken – jedenfalls, wenn «Rote Rosen» vorbei ist –, greifen die erwartungsfroh zum Hörer und ordern das.

Ausgerechnet Ilse! Man glaubt es kaum, dabei führt die normalerweise keiner hinter die Fichte. Aber wenn es um die Gesundheit geht, lässt man eben ungern jede noch so kleine Schangse unversucht. Es ist nicht leicht, alt zu werden, das kann ich Ihnen sagen!

«Ilse, du spinnst doch, das ist alles Geldschneiderei! Hast du das mal dem Doktor gezeigt?», fragte ich energisch nach. Sowohl Kurt als auch sie nehmen natürlich was gegen Blutdruck ein, das ist in unserem Alter ganz normal. Nicht, dass die ganzen Kräuterpillen da noch gegen anwirkten! Ilse meinte, das wäre alles Nahrungsergänzung und keine Medizin. Für mich war das der Beweis, dass es überhaupt keine Wirkungen gab, denn sonst dürfte man den Kram nicht ungezügelt essen wie Knabberschips. Darf man aber! Auf den Dosen steht «Verzehrempfehlung». Das steht auf dem Tütchen mit den getrockneten Apfelringen, die ich hin und wieder nasche, wenn ich mit Erwin einen Fernsehabend mache, genauso.

Derweil ich noch grübelte, wie ich Ilse wohl zur Vernunft bringen könnte, machte sie nebenbei ihre

Pillenschälchen für das Abendbrot fertig. Eins für Ilse, eins für Kurt. In jedes Kompottschälchen zählte sie eine oder auch mehr Kapseln aus den ganzen Pötten. Von den Algen sogar vier. Algen! Ich bitte Sie, die essen Algen! Ich gehe da, wenn der Grabstein von Otto wieder grün ist, mit der Wurzelbürste dran. Der liegt im Schatten, wissen Se, da bleibt das gar nicht aus. Da muss man tüchtig schrubben, dass der Dreck runtergeht. Das sieht doch sonst schäbig aus! Auf die Idee, das zu trocknen und ollen Leuten für 50 Euro die Dose zu verkaufen, muss man erst mal kommen.

Das ist, da wiederhole ich mich gerne, Kaffeefahrt im Kabelfernsehen, sage ich Ihnen. Und zwar ganz übelster Art in meinen Augen. Und dabei kommt man nicht mal raus! Da braucht es nicht mal falsche Enkel, die den Leuten das Geld aus den Taschen ziehen, da finden sich schon genug andere! Aber im Fall von Lotte Lautenschläger ging es um den klassischen Enkeltrick, wo sie den Omas ans Sparbuch wollen und nicht übers Fernsehen Krückenfreiheit versprechen. «Lotte», sagte ich also am bewussten Nachmittag, «wir gehen jetzt zusammen zur Polizei. Keine Widerrede, es muss sein. Ich begleite dich. Auch wenn du vielleicht dein Geld nicht wiederkriegst – wir lassen uns das nicht gefallen!» Ich sprach sehr energisch und ließ Lottes «Aber ...» nicht gelten. «Wir fahren gleich los. Der 48er-Bus hält direkt vorm Revier.»

Ich rief noch Gertrud an, dass sie mitkommt. Nicht, dass die was zur Sache hätte beitragen können, aber bei ihr tun Vorsorge und Aufklärung not. Die ist sehr gutgläubig und wäre eine Kandidatin für die Enkelbagaluden. Es konnte nicht schaden, wenn sie ein bisschen lernte. Also sind wir los auf das Kommissariat, Gertrud, die Lautenschlägerin und ich. Ein schönes altes Gebäude ist das – von außen betrachtet. Früher, noch zu Kaisers Zeiten, war es eine Kaserne. Nun hat die Verwaltung sich darin breitgemacht. «Verwaltung» braucht ja immer viel Platz. «Betrugsangelegenheiten» war im zweiten Stock, einen Fahrstuhl gab es nicht. Was sollte werden? Wir hakten uns unter und machten die Stiegen hoch. Meine kaputte Hüfte und ich brauchten ein bisschen länger, aber wir hatten ja Zeit. Vor dem Büro mussten wir erst mal verpusten. Ich richtete mir zudem die Frisur. Schließlich will man keinen verlotterten Eindruck machen. Ich klopfte an und wartete geduldig das knurrige «Herein» ab.

Es war eine düstere Amtsstube, in der eine Funzellampe von der Decke baumelte. Dass die seit Jahren keinen feuchten Wischlappen gesehen hatte, bemerkte ich auf den ersten Blick. «Wenn hier so gearbeitet wird, wie sie putzen, na, dann darf man wohl nicht viel erwarten», schoss es mir durch den Kopf. An der Lampe hing ein Fliegenfänger, an dem Insekten klebten, die bestimmt noch den kaiserlichen Soldaten über die Frühstücksstulle gekrabbelt waren.

Der Amtmann war ein behäbiger Herr, der wohl schon über sechzig war. «Polizeihauptwachtmeister Lamprecht», stand auf dem Schildchen, das er auf dem

Schreibtisch vor sich stehen hatte. Ich bin mit meinen 82 Lenzen nun nicht mehr die flinkeste Person, aber gegen den Herrn Lamprecht war ich bestimmt noch gut auf Zack. Er schob sich seine halbe Lesebrille auf die Nasenspitze und guckte mich über den Rand musternd an. «Wir kennen uns doch!», rief er streng aus.

Ach du lieber Himmel, das wird wohl nicht …. wie sagt man immer so schön? «Die Welt ist ein Dorf!» Ich bin eine anständige Bürgerin, meine Weste ist blütenweiß! Oft hatte ich in meinem Leben also nicht mit der Polizei zu tun. Obwohl, wenn man so überlegt …

Einmal wurde ich einvernommen. Das war 1973, als mein Franz verstarb. Ich kam gerade von der Brigadefahrt im Harz, da lag er mausetot im heimischen Ehebett. Ich habe den Pfarrer angerufen, den Doktor und den Bestatter, wie es sich gehört. Es war schließlich nicht mein erster dahingeschiedener Gatte, sondern schon der dritte. Da weiß eine Renate Bergmann, damals noch Hilbert, was zu tun ist. Der Doktor war seinerzeit aber neu, so ein jungscher, der noch ganz unsicher bei allem tat. Wissen Se, ich war drei Tage weg gewesen, und was von Franz übrig war, war nicht mehr ganz taufrisch. Der Doktoranfänger konnte nicht genau sagen, wann Franz über die Wupper gegangen war, und rief in seiner Hilflosigkeit nach der Polizei. Himmel herrje, was meinen Se, was die für einen Wirbel gemacht haben. Und wie ich mir vorkam! Ich hatte noch nicht mal meine Witwenkluft an, sondern stand im geblümten Kleid vor den Schutzleuten. Schließlich kam ich gerade von großer Fahrt. Das schwarze Kleid hing natürlich aufgebügelt im Schlafzimmerschrank, aber mit dem Pfarrer und dem Doktor auf der Ankleidebank – wie, wann und wo hätte ich mich da umziehen sollen? Kein Wunder, dass ich den Herren vorkam wie eine Lebedame, erst recht, nachdem ich auf den Schreck einen Korn gereicht hatte.

Aber nee, der Polizist von damals war das nicht. Der Beamte war anno 73 ja auch schon alt und lag wahrscheinlich längst in der Nachbarschaft von Franz. «Ich muss beim Gießen mal auf die Grabsteine gucken», dachte ich noch und überlegte weiter, woher ich den Lamprecht wohl kannte, aber es fiel mir beim besten Willen nicht ein. Der biss derweil von seiner Stulle ab und murmelte mit vollem Mund: «Sie sind doch die beiden reifen Früchtchen, die Herrn Briesewitt aus der Bergstraße damals die Banane in das Auspuffrohr gesteckt haben.» Er kaute breit und genüsslich, aber in den Augen blitzte der Schalk. Lotte guckte ganz verdattert. Immerhin ging es hier um ihre Vermögensangelegenheit! «Das war … das ist … also wirklich. Gertrud hat … ich war gar nicht …. ich habe nur geguckt! Und das gehört gar nicht hierher», versuchte ich elegant das Thema zu wechseln. Der Lamprecht lächelte noch immer breit vor sich hin. Mit dem würden wir zurechtkommen, dessen war ich gewiss.

Aber wenn ich seine Stulle schon sah! Der hatte bestimmt keine Frau zu Hause. Die Brotscheiben waren unregelmäßig geschnitten und passten nicht «Kante auf Kante». Eine welke Wurstscheibe hing über den Rand.

Der ließ sich an der Fleischtheke bestimmt die obersten Scheiben andrehen! Das gibt es mit mir nicht. Wenn ich Aufschnitt kaufe, nehme ich gern von jeder Sorte zwei Scheiben – man will ja schließlich ein bisschen Abwechslung, nicht wahr? –, lasse das Metzgerfräulein die erste Scheibe aber beiseitelegen. So weit kommt es noch, dass die mir grau gewordenen Kochschinken ins Päckchen jubelt! Eine Renate Bergmann lässt sich nicht beschupsen und kauft keine müde Gammelwurst, ob die Fleischersche nun die Backen aufbläst oder nicht. Schließlich ist das Zeug teuer genug. Aber lieber zahle ich eine Mark mehr, als dass ich diese Paste aus der Chemiefabrik esse, die se uns im Supermarkt in der Plasteschale anbieten. Nee, ich kaufe beim Fleischer, bei dem ich weiß, was der in die Wurst macht!

Wie auch immer: Wir ließen den Ermittler erst mal aufessen. Er wischte sich mit dem Handrücken notdürftig den Mund ab. (Eigentlich wischte er die Reste nur weiter und schob sie in den Schnurrbart. Die andere Hälfte der Krümel fiel ihm in die Tastatur vom Computer. Die sah aus, Sie machen sich kein Bild! Wenn man die mal umgedreht und ausgeklopft hätte, ich sage Ihnen, mit dem, was da rausgekommen wäre, hätte man bequem zwei Schnitzel panieren können.) Am liebsten hätte ich in diesem Amtsstübchen mal tüchtig reine gemacht. Es juckte mich in den Fingern, aber deshalb waren wir nicht hier. Wir hatten eine ernste Angelegenheit vorzutragen. Ich ließ Lotte erzählen. Wir hatten das geübt, erst mit Likör, dann zweimal ohne. Es muss schließlich flüssig und überzeugend sein, man darf ja die knappe Zeit der Polizei nicht überstrapazieren.

Dachte ich bis dahin zumindest.

Lotte erzählte, wie wir es geprobt hatten: knapp und präzise. Sie hielt sich an die Fakten und führte nicht mal aus, in welchem Kostüm sie in der Bank erschienen war. Als sie nach zehn Minuten schloss, sagte der Kommissar: «Na, dann wollen wir mal ein Protokoll machen», und spannte einen frischen Bogen mit zwei Seiten Durchschlagpapier in seine Schreibmaschine ein. Sogleich rief er: «Name?»

«Lautenschläger. Lotte Lautenschläger.»

«Lautenschläger … also LAU… D oder T? Oder DT wie Damentoilette?».

So ging es eine Weile hin und her: Lotte diktierte, der Herr Kommissar schrieb. Jeden Buchstaben suchte er sorgfältig, indem er seinen rechten Zeigefinger kreisen ließ und vor dem Anschlag mit gespitzten Lippen noch mal prüfte, ob er richtiglag. Dann ließ er den Finger fallen, und es machte ein schlagendes Geräusch. Nach nicht mal 20 Minuten hatten wir Lottes Namen und Adresse beisammen.

Wissen Se, ich bin ein duldsamer Mensch. Ich habe bei «Die Sklavin Isaura» 300 Folgen lang darauf gewartet, dass das Mädchen endlich sein Glück findet, aber der Lamprecht raubte mir den letzten Nerv. Ich bin bestimmt kein hibbeliges Ding ohne Geduld, aber ich bin auch 82 Jahre alt und weiß, dass ich nicht mehr ewig Zeit habe! Mir war gleich klar, dass das hier reine Zeitverschwendung war. «Die Sache musst du selbst in die Hand nehmen, Renate», schoss es mir abermals durch den Kopf. Gleichzeitig fing mein Herz an zu klopfen vor Aufregung. Wissen Se, immerhin hatte man es hier mit Verbrechern zu tun, die skrupellos alte Leute betrogen. Die würden vielleicht auch vor Mord und Totschlag nicht zurückweichen! Aber es musste sein. Wer kümmert sich denn um uns Alte, wenn nicht wir selbst? Ich hörte der Buchstabiererei von Lotte und dem Kampfhecht gar nicht mehr zu. Lamprecht. In Gedanken bastelte ich schon einen Plan.

Diesen Verbrechern würde ich das Handwerk legen! Natürlich nicht allein! Nee, da braucht man Leute, auf die man sich verlassen kann. Richtige gute Leute, die zu einem stehen und mit denen man Pferde stehlen kann. Sie wissen schon, wie ich das meine. Es gibt in Berlin heutzutage ja kaum noch Pferde, und stehlen war genau das, gegen das ich angehen wollte. Kurt und Ilse und Gertrud und Norbert waren unabdingbar, das sagte ich ja schon. Ich musste Ilse nur davon überzeugen, dass die Polizei ihr wegen der Ehedokumente nichts könnte!

Sie hat ja so Sorge, dass noch mal was nachkommt. Wissen Se, die Trauung liegt jetzt über 60 Jahre zurück und in all den Jahren hat keiner nach dem Ding gefragt. Wer interessiert sich schon dafür?, frage ich Sie. Ich brauchte meine Heiratsurkunden immer nur für den Erbschein.

All die Jahre lag das Ding bei Gläsers in der Gewitterkassette, und alle, die sich noch entsinnen konnten, haben Stillschweigen bewahrt über den Makel: Kurt konnte damals nämlich nicht richtig unterschreiben. Er ist am Tag vor der Hochzeit aus dem Kirschbaum gefallen und hat sich beide Hände gebrochen. Ach, das war eine Aufregung. Ilses Mutter hatte am Nachmittag vor dem Fest plötzlich Bedenken, dass der Kuchen nicht reicht. Damals wurde ja größer gefeiert, das halbe Dorf war mit dabei. Unter 80 Gästen zählte es gar nicht richtig als Hochzeit. Es gab gemischten Braten und Pudding hinterher, und auch die barmherzigen Schwestern in ihrem Klosterstift haben ein Essen gekriegt an so einem Tag. Jedenfalls ist Mutter Kleiber – Ilse ist eine geborene Kleiber – am Tag vorher den Kuchenplan noch mal durchgegangen. Damals gab es ja noch keinen WhatsApp! Kennen Sie das? Heute, wenn zum Beispiel für die Handballmannschaft der Kinder gebacken werden muss, schreiben sich die Muttis alle über Händi, wer was backt. Das geht dann zwei Tage hin und her. Am Ende ist eine bockig und kommt nicht, und es gibt trotz der Abstimmerei viermal Käsekuchen, weil der schneller geht als Limonentart oder anderer neumodischer Kram. Damals hat Mutter Kleiber die Kuchenplanung persönlich überwacht und am Freitag vor der Eheschließung bei sich gedacht: «Der reicht nicht! Wir brauchen noch zwei Bleche Kirschkuchen.» Also musste Kurt, damals noch ein junger Mann auf Freiersfüßen in Saft und Kraft, rauf auf den Baum. Wie es dann genau passiert ist (und ob er vorher nicht doch ein Bier getrunken hatte), weiß bis heute kein Mensch. Jedenfalls gab es einen lauten Schrei, und ehe man sich's versah, lag Kurt unterm Kirschbaum, die Reste der morschen Leiter auf ihm drauf. Wie das so ist, der Mensch hat den Instinkt, sich mit den Händen abzustützen. Und das wurde Kurt zum Verhängnis. Während Vater Kleiber Pferd und Wagen anspannte und den armen Bräutigam zum Doktor fuhr, sammelten Ilse und ihre Mutter die Kirschen aus dem Gras. Die waren gut, die konnte man noch essen! Sie langten nur für ein Blech statt der geplanten zwei, aber da Kurt mit zwei Gipsarmen ohnehin nicht essen konnte und Ilse wegen der ganzen Aufregung keinen rechten Appetit hatte, ging es auch so. Er reichte sogar, um noch Kuchenteller im halben Dorf zu verteilen an die wenigen Leute, die nicht eingeladen waren und mitfeierten.

Was meinen Se, was auf dem Standesamt los war! «Ja» sagen ging ohne Hände. Aber letztlich muss die Heiratsurkunde unterschrieben werden. Und nun frage ich sie: Wie sollte Kurt das machen? Er probierte es erst mit dem Kuli im Mund, aber das hat der Standesbeamte nicht gelten lassen. Letztlich klemmte ihm Ilse den Stift zwischen die Fingerspitzen, die vorn aus dem Gips lugten, und er schob ihn in Kurven über das Papier. Zwar bezeugten mein erster Mann Otto und ich die Ehe, aber darum geht es ja nicht. Es geht doch um die Zukunft, denken Se mal: Ilse ist 82 und Kurt 87. Früher oder später wird da was passieren. Es ist ja noch nicht entschieden, wer zuerst … geht und wer bleibt und gießen muss, aber nur mal angenommen, Ilse kommt mit dem Erbschein und der Heiratsurkunde auf das Gericht oder zur Bank, um die Sparbücher aufzulösen. Was zählt denn da noch die Unterschrift von mir oder meinem Otto selig? Die sehen nur, dass Kurt beim Sparbuchantrag ganz anders unterschrieben hat als seinerzeit auf dem Ehedokument. Wer weiß, was da noch auf Ilse zukommt dereinst! Am Ende verweigern die ihr noch die Witwenrente? Ach, es ist alles verzwickt! Da steht uns noch was ins Haus, sage ich Ihnen!

Zumal Kurt in letzter Zeit nur Zicken macht, wenn es um das Thema «Abschied nehmen» geht. Gläsers haben seit Jahren alles geregelt und verfügt. Aber was macht der olle Zausel? Eines Abends guckt der im Fernsehen einen Bericht über Bestattungen – und will nun auf einmal verbrannt werden. Ilse war sprachlos. Jahrelang hieß es: «Ich habe es nicht so mit der Hitze, ich will nicht ins Feuer», aber kaum sieht der eine Urne mit dem Wappen von Bayern München drauf, will er plötzlich auch in die Vase. Ilse sagt, wenn er das so will, soll er es so haben, aber ich glaube ihr nicht. Wenn es so kommen sollte, dass Kurt vor ihr unter Tage muss, dann legt sie ihn in den Eichensarg wie geplant. Ich kenne doch Ilse, die trägt Kurt nicht in einer Fußballerurne zu Grabe! Sie lässt ihn aber in dem Glauben, dass er seinen Willen kriegt, und ist nun sehr streng mit ihm, was das Essen angeht.

Kurt darf zum Beispiel keinen Mais mehr. Nicht vom Doktor her, der sagt: «Obst und Gemüse ist gesund.» Nee, Ilse hat es verboten, und das kam so:

Wir waren auf dem Rummelplatz und haben den Jonas getroffen, den Enkel von Gläsers. Der hat ja nun schon eine kleine Freundin, und es war ihm gar nicht recht, dass er uns Alte traf. Ilse merkte auf der Stelle auf und fragte das Mädel – eine gewissen Elisa – gleich aus. Man muss ja wissen, aus welchem Hause das Kind kommt, nicht wahr? Womöglich gab es früher mal einen Skandal, und die Verbindung ziemt sich nicht? Ilse ist da sehr auf den Ruf der Familie bedacht. Der Jonas ist aber nicht auf den Kopf gefallen und lenkte sofort vom Thema ab, kaum dass Ilse fragen konnte, was der Vati von der Elisa arbeitet, wo sich die Eltern kennengelernt hatten und was die Mutti für eine Geborene ist.

«Probier mal das Popcorn, Oma, das ist super», sprach Jonas und drückte Ilse einen großen Eimer milchweißer Flocken vor die Nase. Kurt probierte, Ilse nahm eins, und ich versuchte auch. Es schmeckte gut, man konnte nicht meckern. Man musste das Geflocke gar nicht groß kauen, es zerfiel fast wie von selbst im Mund. «Das ist nur aufgebackener Mais. Der poppt in der Pfanne auf, das zeige ich euch demnächst mal.» Jonas war wohl froh, dass Ilse nicht noch Elisas Beckenmaß kontrollierte, sondern sich bereitwillig ablenken ließ. Das sah man dem Jungen direkt an.

Wir bummelten an dem Abend noch gemütlich über den Rummel, aber wissen Se, es ist ja doch immer dasselbe. Für diese Autoskuter sind wir zu alt, die sind tiefer gelegt als Kirstens Sportporsche. Außerdem ist eine Fahrt mit Kurt im Koyota nicht viel anders, er bumst auch alle zwei Meter irgendwas an. Zwei, drei Eierpunsch, und wir waren wieder verschwunden. Es geht ja nur drum, dass man mal vor die Tür kommt, nicht wahr?

In der Woche drauf war der Jonas bei Gläsers zu Besuch. Man merkt das bei den Jungs in der Pubertät: Sobald die eine Freundin haben, langt das Taschengeld hinten und vorne nicht. Dann lassen sie sich auffallend oft bei den Großeltern sehen. «Nur so, Oma, ich wollte dich mal besuchen.» Kennen Se auch, nicht wahr? Aber der Junge war nicht nur auf Geld aus, das kann man nicht sagen. Er hatte sich das mit dem Poppskorn genau gemerkt. Er brachte getrockneten Mais mit und schüttete ihn zusammen mit zwei Löffeln Zucker in eine sehr heiße Pfanne mit Glasdeckel. Kaum zwei Minuten später flogen die Maiskörner mit lauten «Plopps» dagegen, ach, das war ein Spaß! Sie kennen das bestimmt, aber für uns Alte, die so was nicht essen, war das neu. Jonas sagte, das wäre «Poppskorn süß» mit kandiertem Zucker. Man könnte es genauso gut salzig machen. Es naschte sich ruck, zuck weg. Natürlich bekam der Junge einen Zehner von Ilse, dafür sind Großeltern doch da, und auch ich ließ mich nicht lumpen und steckte ihm beim Verabschieden einen Fünfer zu. Man muss es nicht übertreiben, das ist viel Geld. Er muss lernen, es sich einzuteilen, wissen Se, wir müssen alle mit dem klarkommen, was wir an Rente kriegen. Rente ist nicht anders als Taschengeld!

Ich hatte die Geschichte schon fast wieder vergessen, als wir nach der Fußpflege im Zänter essen waren. Das machen wir immer so, wissen Se. Der ganze Tag ist zerhackt, wenn man erst nach acht zum Termin geht. Dann wird es zu knapp mit dem Mittagessen. Deshalb bummeln wir gern durch das Einkaufszänter, besorgen hier und da eine Kleinigkeit und essen auch zu Mittag. Das gönnen wir uns. Meist haben se ein besonderes Menü mit kleinem Salat und Getränk dabei für einen Sonderpreis, da kann man nichts sagen. Das kommt oft noch günstiger als ein Seniorenteller. Als wir bestellten, sagte Ilse zur Kellnerin: «Den Salat für meinen Mann aber bitte ohne Mais.» Ich guckte ganz verdutzt. Kurt hatte doch immer Mais gegessen und gern gemocht! «Kurt, was ist denn los? Verträgst du keinen Mais mehr? Hast du Magendarm?», wandte ich mich an ihn, aber wie nicht anders zu erwarten war, grunzte der nur knapp und deutete mit einem Nicken auf Ilse. Ilse legte die Speisekarte weg und flüsterte mir zu: «Renate. Du hast ja bei Jonas' Poppskorn gesehen, wie Mais bei Hitze reagiert. Du weißt, Kurt ist 87, da muss man jederzeit mit allem rechnen. Er will verbrannt werden, und nun sei mal ehrlich: Man möchte doch im Krematorium nicht so ein Aufsehen, oder?» Da hatte se recht. Das ist eine pietätvolle Angelegenheit, die man nicht durch ein Feuerwerk bei der Einäscherung ruinieren will. Ich bin Ilse dankbar für den Hinweis und sehe jetzt auch zu, dass ich bei Mais vorsichtig bin. Man muss ja an so vieles denken!

Ja, so hält Ilse den Kurt im Zaum. Warten Se mal ab, noch ein, zwei Speiseverbote dazu, und der überlegt sich das noch mal mit der Einäscherung.

Aber zurück ins Präsidium: Der Lamprecht nahm nach all dem Stress – sie waren immerhin mit den Adressdaten fertig – einen Schluck aus seiner Tasse. Ich hatte den angebotenen Kaffee dankend abgelehnt. Gerne trinke ich einen schönen Bohnenkaffee, das ist was Feines, auch wenn die Doktern schimpft wegen Blutdruck. Eine Tasse hin und wieder darf ich, das lasse ich mir nicht verbieten. Der hier wäre jedoch aus einer verbeulten Blechthermoskanne gewesen, mitgebracht vom Kommissar. Die war von außen schon ganz schmuddelig, und ich konnte mir schon vorstellen, wann der die wohl das letzte Mal heiß ausgewaschen hatte. Da lief bestimmt noch «Zum Blauen Bock» im ersten Programm!

Eine hübsche junge Frau mit dunklem Bob betrat die Dienststube. «Guten Tag, ich bin Hauptkommissarin Melanie Becker, ich bin die Vorgesetzte von Kommissar Lamprecht. Konnte er Ihnen weiterhelfen?»

Was für eine Frage! Ich seufzte auf. Lotte nahm gar keine Notiz von dem Kommissarsfräulein. Sie war wie gefesselt davon, wie der olle Lamprecht seinen Zeigefinger über das D der Tastatur kreisen ließ und mit der Zunge zwischen den Zähnen anschlug.

«Ich sehe schon», sprach die Frau Becker, holte kräftig Luft und wandte sich an den Kommissar. «Kollege Lamprecht, was klimpern Sie denn da schon wieder auf der alten Schreibmaschine herum? Ich habe mehrfach angewiesen, dass Sie den Computer zu benutzen haben!»

«Davon weeß ick nüscht.»

«Haben Sie meine E-Mail nicht gelesen?»

«Ihre was?»

Ja nun. Wie sollte er, nich wahr? Wenn er keinen Computer benutzte, konnte er den Emil nicht kennen. Nach Händi sah der mir auch nicht aus. Eher noch nach Bakelit. Hihi.

Ich will Sie nicht langweilen: Es bringt uns ja in der Sache nicht voran, wenn ich hier jetzt aufschreibe, wie die dann zwei Stunden lang den Computer hochgefahren, Imehl gelesen und Abdate gemacht haben. Es zog sich alles sehr hin, und als die Uhr auf fünf ging, holte ich meine Notfallstulle und meine Tabletten aus der Handtasche. Sie wissen ja, ich bin Diabetikerin und darf nicht unterzuckern. Bei der ganzen Aufregung hier war es dichte ran! Während ich meine Stulle aß – mit Leberwurst, ganz dünn gestrichen! –, wurde mir klar und klarer, dass das hier alles wirklich keinen Sinn hatte. Ich ließ die machen, schließlich konnten wir jetzt nicht mehr gehen.

Der Kommissar Lamprecht hatte erst mal eine knappe Stunde damit zu tun, seine ganzen Nachrichten beim Emil zu lesen.

«Nun reißen Sie bitte mal Ihren Blick von den reifen

Frauen aus der Nachbarschaft und wenden Sie sich den reifen Damen hier im Kommissariat zu», mahnte ich, als er ganz begeistert so eine schweinische Nachricht las. Ich konnte über seine Schulter gucken, ich sah es genau: Da war manches nicht jugendfein. So ein junger Mensch – lachen Se nicht, wenn man 82 ist wie ich, ist Anfang 60 jung! – und keine Ahnung vom Imehl. Er war noch nicht mal in Rente! Ich konnte es kaum glauben. Der verpasste ja sein halbes Leben! Machen wir uns nichts vor, man kann sich dem Fortschritt nicht verweigern und muss mit der Zeit gehen. Sicher, man darf nicht jeden Quatsch mitmachen und muss immer nach dem Sinn fragen, aber die Vorteile muss man anerkennen und nutzen. Denken Se sich nur, man kann im Interweb zum Beispiel Geburtstagskarten verschicken, wussten Sie das? Ach, es ist so praktisch. Man kann hübsche bunte Karten auswählen und mit einem Klicks verschicken, dann kriegt derjenige einen Blumenstrauß oder ein tanzendes Häschen oder sogar glitzernde Sterne zum Weihnachtsfest – was man will. Es kostet nichts! Wenn ich doch nur alle aus meiner Generation dazu überreden könnte! Gucken Se sich mal um im Schreibwarengeschäft: Wenn man eine hübsche Karte haben will, die was hermacht und mit der man sich nicht schäbig vorkommt, muss man an die vier Euro auf den Tisch legen. Und Porto kommt ja auch noch dazu. Passt man nicht auf, erwischt man ein Format, für das die Post gleich das Doppelte haben will. Da ist man dann schnell bei fünf Euro alles in allem. Überlegen

Se mal, das sind zehn Mark. Dafür habe ich früher ein Telegramm mit Schmuckblatt geschickt, eine Flasche Weinbrand und noch drei Nelken mit Sprengeri dazu. Und heute geht das allein für die Glückwunschkarte drauf. Nee, da mache ich nicht mit. Da schicke ich elektrische Karten mit dem Interweb. Es ist nicht nur billiger, sondern geht eben ruck, zuck. Das wusste ich aber auch nicht. Am Anfang habe ich die Karten immer zwei Tage früher abgeschickt, damit die genug Zeit haben, das richtig zuzustellen. Wie man es eben bei der Post macht – sie sagen ja immer, am nächsten Tag ist der Brief zu 90 % da, aber wie das so ist, ich war immer bei den 10 % und schicke es seither lieber zwei Tage vorher los. Dann können die das austragen, und schlimmstenfalls liegt das Kärtchen noch einen Tag beim Geburtstagskind auf der Anrichte oder dem Gabentisch. Ich schreibe meist «Bitte nicht vor dem (und das Datum vom Geburtstag) öffnen!» auf den Umschlag, so bin ich immer gut gefahren. Bei der Elektropost geht es aber ratzfatz. Als Gittl Bömmelmann, meine Reisebekanntschaft aus dem Schiffsurlaub, letzthin Geburtstag hatte, war mir das ganz entfallen. Erst am Festtag selbst kam es mir in den Sinn. Für eine Karte mit der Post wäre es zu spät gewesen, und so habe ich Gittl einfach zwei niedliche Kätzchen mit Blumenstrauß auf das Händi geschickt. Keiner hat was gemerkt, und die Gittl hat sich gefreut.

Kurzum: Mit Unterstützung vom Fräulein Hauptkommissarin gab Lotte nun doch laut schluchzend zu Protokoll, was passiert war, während Gertrud ihr die

Hand hielt. Die kamen gut voran, die Kleine war flink mit den Anschlägen, und wir hatten es nun wenigstens aktenkundig, aber ich hatte keinerlei Hoffnung, dass die die Gängster bald gefangen nahmen. Die würden nicht mit Sondereinsatzkommando und Hubschrauber ausschwärmen, um die Betrüger zu suchen. Das Einzige, was die machten, war warten. Warten, dass denen mal einer in die Fänge geht und sie dann in ihrem Computer nachgucken und sagen: «Ach, sieh an, das hat der auch noch auf dem Kerbholz.»

Da fiel mir ein, dass es bestimmt interessant zu wissen wäre, was die denn so alles über mich im Computer haben. Ich wandte mich an den Lamprecht, der gerade mit einer großen Flasche Nasenspray zugange war. «Schnupfen, Frau Bergmann. Ich werde den gar nicht mehr los. Von Frühjahr bis Sommer habe ich Heuschnupfen und sobald der Herbst kommt, richtigen Schnupfen.» Er guckte mich an wie Katerle, wenn sein Fresschen alle ist.

«Herr Lamprecht, können Se denn mal gucken, was Sie über mich gespeichert haben? Ich meine, ich bin bestimmt eine unbescholtene Bürgerin, aber neugierig bin ich doch.»

Der Lamprecht klopfte auf ein paar Tasten. Eine davon war scheinbar sogar die richtige. Er ließ die Lesebrille auf die wunde Nase rutschen und las vor. Mich traf ja fast der Schlag. Was die alles über mich in der Akte hatten! An manche Sachen konnte ich mich nicht mal mehr erinnern, muss ich einräumen!

Sicher, das mit Franz habe ich ja schon erzählt. Das war so lange her – dass die das noch aktenkundig hatten, darüber konnte man nur staunen. Und sonst war nichts Schlimmes dabei. Die Angelegenheit mit dem Herrn Briesewitt und der Banane hatten die als groben Unfug verbucht, da kam nichts nach. Und bei den anderen Vorgängen war ich entweder Zeugin oder hatte die Schutzleute bestellt.

Wie damals, als bei der Berber des Nachts das Fenster offen war. Es kamen Geräusch, nee, Sie haben ja keine Vorstellung! Es hörte sich an wie Damentennis. Die Schreie wurden immer lauter, und einmal klang es wirklich so, als riefe sie, dass jemand kommen soll. Da habe ich die Polizei angerufen und gemeldet, dass sie wahrscheinlich ermordet wird. Ich habe den Hörer aus dem Fenster gehalten, damit die Beamten einen Eindruck kriegen, aber sie wollten nicht warten und zuhören, sondern schickten sofort eine Funkstreife raus. Ganz schlecht war mir vor Angst, sage ich Ihnen! Ich bin mit Morgenmantel und Haarnetz raus in den Flur, wissen Se, auch wenn die Berber und ich in diesem Leben keine Freunde mehr werden, so gibt man in der Nachbarschaft ja doch aufeinander acht, dass der andere nicht ermordet wird. Der Beamte kam dann zu mir hoch, um Bescheid zu geben, dass nichts Schlimmes wäre und ich ins Bett gehen könnte. Er grinste so komisch, aber erst, als er weg war, dämmerte es mir. Die Geräusche waren ... also, sie und der Pizzafahrer rauchten erst mal eine Zigarette auf dem Balkon. Ich konnte sie tuscheln hören vom Küchenfenster aus. Das Fenster war danach aber zu.

Jeder noch so kleine Rempler von Kurt war da aufgeführt. Schließlich war ich immer als Kronzeugin mit an Bord. Hihi. Wissen Se, seine Augen … Die letzte Messung war Anfang der Achtziger – also Kurts Achtziger, nicht die 1980er –, und die hat ergeben, dass es wohl neun Dioptrien sind. Entsprechend wird es manchmal ein bisschen lauter beim Einparken. Meist merkt es ja keiner, so ein Hydrant ist robust und der Gastank von Rennebachs hat nur einen kleinen Ditscher abbekommen und ist nicht in die Luft gegangen. Und wenn einer die Polente ruft, na meine Güte! Ich habe immer die Unschuld bezeugt, ganz gleich, ob er mit dem Koyota über den Zeh von Frau Flitzinger gerollt ist oder ob er das Dixihäuschen angebumst hat, sodass Frau Eschweiler damit umfiel. Ilse allein als Beifahrerin und treusorgender Ehefrau hätten sie wohl all lange nicht mehr geglaubt, aber ich bin weder anverwandt noch verschwägert und habe von meinem Keilkissen auf dem Rücksitz im Koyota den allerbesten Überblick, wenn was passiert. Eine glaubwürdigere Zeugin als Renate Bergmann gibt es gar nicht! Die haben sich aber auch kiebig heutzutage. Kaum blinkt man mal nicht, regt sich einer auf. Kurt sagt, wer ihn kennt, weiß, wo er hinwill, und wer ihn nicht kennt, den geht das nichts an. Vom vielen Blinken nutzen sich nur die Relais ab, und die sind teuer. Ja, unser Kurt hat eben noch fahren gelernt, als noch nicht so viel Verkehr war. Da nahm man das auch nicht so genau mit den Promillen. Wer da auf dem Strich laufen konnte, war nüchtern, fertig. Zu dem hat der Wachmann gesagt: «Aber weiter als nach Hause fahren Sie heute nicht mehr.» Was sollten sie sonst machen? Heutzutage sind die ja viel strenger. Letzthin haben sie uns mit dem Koyota angehalten, weil Kurt angeblich auffällig gefahren war. Wegen so ein paar Schlängellinien, ich bitte Sie! Haben die nichts anderes zu tun? Nee, da halten sie unbescholtene Bürger an. Wissen Sie, was die mit Kurt gemacht haben? Er musste aussteigen und die Papiere zeigen. Da haben sie schon das erste Mal gestaunt, einen Führerschein, den noch die britischen Besatzer ausgestellt haben, kannten sie nämlich nicht. Sie haben dann telefoniert und rückgesprochen, aber im Präsidium war ein erfahrener Beamter, der sich noch auskannte und grünes Licht gegeben hat. Von der Seite her war alles in Ordnung. Als Nächstes musste Kurt pusten, aber da konnten se ihm auch nichts, denn er hatte selbstverständlich nichts getrunken. Sogar einen Drogentest haben sie mit Kurt gemacht, denken Se sich nur, einen DROGENTEST! Angeblich hätte er so kiebig geguckt. Ich bitte Sie, was denkt dieser Mensch denn, wie man mit neun Dioptrien guckt? Ich war aber ganz stille, der Test war unauffällig, und so konnten sie nichts machen. Sie haben uns fahren lassen.

Ein bisschen Ärger hätte es noch geben können, weil die Handbremse vom Koyota kaputt war, aber das haben sie nicht gemerkt. Ich habe einen Ziegelstein hinten im Fußraum, und wenn Kurt den Wagen parkt, legen wir den Stein vor das Rad. So kann gar nichts passieren. Wenn der Koyota das nächste Mal zum Tüff geht, lässt Kurt das auch machen, das steht schon auf der Tut-Tut-Liste. So sagt Stefan das immer: Alles, was zu erledigen ist, kommt auf die Tut-Tut-Liste.

Ja, überall lauern se einem auf, aber wenn man die Herrschaften von der Staatsmacht tatsächlich mal braucht, dann legen sie die Hände in den Schoß. Ich weiß noch, vor zwei Jahren, als sie mir auf dem Friedhof die Harke geklaut haben. Sie stand hinter Walters Grabstein! Jeder kann die nehmen und damit seine Grabumrandung harken, solange er am Ende seine Tapsen wegharkt und sie zurückstellt. Dafür isse ja da. Aber sie stehlen? Ich bitte Sie, da habe ich entschieden was dagegen! Also bin ich hin zur Polizei. Aber denken Se, die haben sich dafür interessiert? Fast drei Stunden habe ich diskutiert und dabei zwei Beamte verschlissen. Sie nahmen das zur Kenntnis und meinten, sie könnten nichts tun, ich solle mich abfinden, und es wären Kinkerlitzchen. Na, da ist mein Blutdruck aber hoch bis unter die Decke, so habe ich mich aufgeregt! Nicht mal eine Anzeige wollten sie schreiben, geschweige denn die Hundestaffel schicken. Dabei gab es sogar Fußspuren im frisch Geharkten, man hätte Gipsabdrücke nehmen und die Verbrecher im Kiez testen können. Aber der Polizist meinte, er wäre kein Prinz und suchte kein Aschenputtel und dass er wirklich nichts weiter für mich tun könnte. Er schenkte mir einen Einkaufswagenschip, auf dem «Die Polizei – Ihr Freund und Helfer» draufgedruckt war, und bot an, mich im Streifenwagen nach Hause zu fahren. IM STREIFENWAGEN! Denken Se sich das mal. Was die Leute gedacht hätten! Ich, eine Bürgerin mit blütenreiner Weste und tadellosem Ruf, im Streifenwagen. Vielleicht noch mit Blaulicht? Nee. Da bin ich lieber mit dem Bus gefahren. Da habe ich ja eine Dauerkarte, wissen Se. Bus und S-Bahn und U-Bahn, das ist so eine feine Sache. Man kommt überall hin, und wenn es ein netter Busfahrer ist, hält der sogar direkt vor meiner Haustür, und ich spare mir den Weg von bald 400 Meter zum Haltestopp. Ich muss natürlich ein Hinken vortäuschen und kurzatmig meine künstliche Hüfte erwähnen, aber dann ist das gar kein Problem.

Über Gertrud war gar nichts aktenkundig. Das wunderte mich, denn meine Freundin hat es wirklich faustdick hinter den Ohren. Da hätten im Laufe der Jahre einige Einträge zusammenkommen können, wenn auch im Grunde nur Kleinigkeiten, nichts wirklich Schlimmes. Ein paar Mal gab es «Erregung öffentlichen Ärgernisses», weil sie die Kittelschürze ausgezogen hat und vorm Rathaus in den Springbrunnen gestiegen ist. Es waren an die 40 Grad. Da kam aber nicht mal die Polizei, sondern nur so ein Zettelfräulein vom Ordnungsamt. Sie schrieb eine Verwarnung aus. Das kann man nicht mitrechnen. Was die nicht im Computer eingetippt haben, das zählt nicht.

Ansonsten ist Gertrud zwar keine Feine, aber schlimme Sachen lässt sie sich nicht zuschulden kommen, und wenn, nur im privaten Rahmen. Auf der Einschulungsfeier vom kleinen Jemie-Dieter Berber damals, da war es so warm! Nicht nur, dass Gertrud der Begrüßungssekt schnell zu Kopf gestiegen war, nein, auch die Buttercremetorte litt sehr. Gertrud ist eben praktisch veranlagt und zieht das Muster auf der Buttercremetorte schon mal mit ihrer Zahnprothese nach, wenn es nötig ist. So recht hatte keiner mehr Appetit danach, aber die Polizei rief auch niemand. Es war eher Erregung eines privaten Ärgernisses als eines öffentlichen, da kam nichts nach. Ich musste nur versprechen, dass ich Gertrud nie wieder auf eine Feier mitbringe.

Gertrud hat ja Kontakte zum Milljö, wenn ich das mal so sagen darf. Sie ist eine grundsolide Person und ein feiner Kerl, damit das ganz klar ist. Auch wenn se nicht jeden Morgen lüftet und ihr Sessel bestimmt vor vier Wochen das letzte Mal eine Polsterbürste gesehen hat. Sie geht zu einer Friseurin, die nebenbei den schweren Mädels im Frauengefängnis einmal die Woche die Tolle renoviert. Man kann im Grunde nichts dagegen sagen, das ist alles legal. Die Frauen haben es schließlich auch verdient, hübsch frisiert ihren Hofgang zu machen, nich wahr? Gertrud kommt da günstig an Sachen dran, nee, Sie ahnen es nicht! Bald jeden Monat hat sie einen neuen Ring oder eine Kette, die ihr der Friseur sozusagen als Wechselgeld rausgibt. Sie hat Kurt so den Kontakt zum Herrn Pjotr vermittelt, bei dem er seit Jahren seine Böller für Silvester kauft. Ilse ist ja entschieden dagegen, und ich bin gar nicht groß für diese Bumserei. Wegen meiner müsste es Silvester nicht geben, und wenn, dann sollten se Neujahr auf abends um acht legen und nicht auf zwölf. Das wäre viel praktischer! Nach dem Abendbrot stößt man an, sitzt noch ein Stündchen gemütlich beisammen und geht zeitig schlafen. Wer will, kann ja länger feiern, aber man verpasst nichts, wenn man zu einer gesitteten Zeit schlafen geht. Aber auf mich hört ja niemand. Was ich erzählen wollte, ist was anderes … also, die Knallkörper. Kurt kauft immer reichlich und setzt die auch im Garten ein. Was meinen Se, was letzten Sommer los war, als die Sauerkirschen reif waren? Der Baum hing voll mit saftigen roten Früchten, und Ilse und ich kochten jeden Tag Marmelade, buken Kirschmichel und weckten reichlich vom leckeren Obst ein. Ich muss da immer ein Auge drauf haben, wissen Se, Kurt pflückt und sammelt alles auf, was ihm im Garten unter die Finger kommt, und das mit seinen Augen? Ilse kann zwar noch gut gucken, aber vier Augen sehen mehr als zwei. Und wenn die Brombeeren Beine haben, sind es Mistkäfer, das ist schon seit dem ollen Zille so.

Jedenfalls hatten nicht nur wir Alten großes Interesse an den Kirschen, sondern auch die Stare. Wie verrückt waren die danach, ganze Schwärme kreisten um den Baum. Es hatte sich offenbar in den Nistkästen der gesamten Laubenkolonie rumgesprochen, dass Gläsers Kirschen die saftigsten waren. Kurt gab sein Bestes und stand den ganzen Tag Wache. «Sch, sch, ihr Mistviecher», zischte er am laufenden Band und drohte mit der Mistforke. Aber damit machte er offenbar nur noch mehr Werbung. «Sch, sch» heißt in Starensprache offenbar: «Kommt schnell, hier gibt es leckere Früchtchen, fallt über den Baum her und fresst euch satt.» Ganz verzweifelt war Kurt, denn sie pickten ihm die schönen Kirschen im wahrsten Sinne des Wortes über dem Kopf weg. Als sich ein Vogel auch noch erdreistete, ihn anzukäckern, na, da war es aber aus mit Kurt. Dass Ilse rief: «Vogelschiete bringt Glück, Kurt!», machte die Sache nicht besser. Richtig wütend wurde er und lief rüber zum Schuppen. Er nagelte eine große Sprengladung von seinen aufgesparten Böllern, mit denen er eigentlich den Wühlratten an die Wäsche wollte, an einen Spatenstiel. Ilse rief gleich die heilige Mutter Gottes an, aber nicht mal die konnte Kurt noch stoppen. Mit seinen 87 Jahren ist er die Leiter hoch und schob die selbstgebaute Rakete mitten in die Baumkrone. Wieder unten angekommen, zündete er die Lunte.

Es dauerte wohl so eine gute halbe Minute, bis das Feuer die Zündschnur entlanggekrochen war. Genug Zeit also für Ilse und mich, uns in Sicherheit zu bringen. Wir flohen in die Veranda vorm Haus und hielten uns die Ohren zu. Kurt guckte aus dem kleinen Schuppenfenster.

Es gab einen Rums, ich kann das hier gar nicht beschreiben. Die Fensterscheibe wackelte, Dutzende Stare flatterten mit einem Geschrei davon, dass es einen gruselte. Blätter und Kirschen flogen durch die Luft, die Leiter stürzte um, und der Hund vom Nachbarn wurde so wild, dass man sein eigenes Wort nicht mehr verstand. Wir blieben erst mal drinnen, um so unverdächtig wie möglich zu wirken. Die Nachbarn kamen aus den Häusern gelaufen und guckten. Frau Schlaupichler rief, es müsste einen Flugzeugabsturz gegeben haben, so hätte es geknallt, und Inge Rebenstock meinte, das wäre Quatsch. Ihr wäre vor Jahren mal der Schnellkochtopf hochgegangen, da hing danach das Eisbein in der Küchenlampe. Das hätte sich genauso angehört. Keine Minute später standen alle vor Gläsers Gartenzaun. Ilse und ich kamen schließlich aus der Veranda und mischten uns unter die aufgeregten Frauen. Wir sagten, dass wir es auch gehört hätten und ob es wohl ein Überschallflugzeug gewesen wäre. Das fiel gar nicht groß auf. Kurt harkte sogleich die Blätter unterm Kirschbaum zusammen, und nach vielleicht einer Viertelstunde gingen alle wieder an ihre Arbeit. Es hatte ja jeder sein Tun, nicht wahr, die Uhr ging auf elf, und die Kartoffeln wollten geschält und aufgesetzt werden. Kurt war's zufrieden. Kein Star traute sich mehr nur in die Nähe von Gläsers Garten. Die nächsten zwei Wochen weckten Ilse und ich wohl an die 40 Gläser ein und kochten sogar noch Kirschsuppe, als die heißen Tage kamen. Seither steht Ilse Kurts Geschäften mit Herrn Pjotr nicht mehr ganz so skeptisch gegenüber. Sie würde es nie gutheißen, aber sie drückt schon mal ein Auge zu, wenn Kurt den Euro aus dem Einkaufswagen nicht zurückgibt, sondern erst in die Hosentasche und später zu Hause in die Sparbüchse steckt.

Meine Tochter Kirsten hat mir selbstgemachte Marmelade geschickt. So, wie das Mädel kocht, ist es besser, dass sie nie geheiratet hat. Sie wäre schon öfter Witwe als ich.

Meine Kirsten hat auch ihre Erfahrungen mit der Polizei. Was da genau los war, weiß ich nicht und will es lieber gar nicht wissen. Ich danke Gott dafür, dass sie weit genug weg wohnt und ich nicht alles mitkriege. Einmal hat sie mich aber doch angerufen und mir eine Geschichte vorgeräubert, passen Se auf, ich erzähle es Ihnen nach: Sie war mit ihrem wiesengrünen Porsche unterwegs. Da geht es ja schon los. «Eine Frau wie Kirsten und ein Porsche», werden Se jetzt fragen, «wie passt das denn zusammen?» Aber das ist es eben: Bei ihr passt gar nichts zusammen. Sie hat das röhrende Ding seinerzeit von einem einsamen alten Herrn geerbt, dessen Hund sie mit Blasmusik gegen Flöhe behandelt hat. Fragen Se nicht. Kirsten hat die Karre wegen Schackra grün spritzen lassen und böllert nun damit im zweiten Gang umher.

Schneller fährt se nicht, wegen der Umwelt. Man sitzt in dem Wagen so tief, dass ich nur mit Hilfe von zwei kräftigen jungen Männern wieder aussteigen kann. Der Kofferraum ist viel zu klein, da kriegt man nicht mal eine Kiste Korn rein. Sie rief mich jedenfalls an und erzählte, dass ein neuer Polizist auf der Sauerlandwache angefangen hat, der sie noch nicht kannte, und der hielt sie gleich wegen der Papiere an. Kirsten fühlte sich an dem Tag «nicht richtig zentriert» und sagte das dem Herrn Wachtmeister genau so, woraufhin der wohl lachte. Ein Wort gab das andere. So was mag sie nämlich gar nicht. Als er auch nicht zu Walgesängen mit ihr meditieren und nach seiner Mitte suchen wollte, sondern sie zur Blutprobe mit aufs Revier nahm, na, da war es dann wohl ganz aus. Sie haben weder Drogen noch Alkohol in ihrem Blut gefunden. Kirsten trinkt nicht mal gegen Aufregung einen Korn. Im Grunde wäre es aber wohl besser gewesen, wenn sie einen Kleinen im Tee gehabt hätte, weil man ihr die Beschimpfungen und Beleidigungen in dem Fall nicht hätte anrechnen können. Zurechnen. Sie wissen schon. Das wäre billiger gekommen. So musste sie 40 Sozialstunden im Tierheim ableisten. Im Grunde genommen war das keine Strafe, denn hier entfaltet sich das Kind ja oft erst so richtig. Nach einer Woche hat sie Jogamatten für die Rottweiler angeschafft. Es gab noch Diskussionen, aber letztlich waren die 40 Stunden um, bevor die Kneippkur für Kätzchen begann.

Über Kirsten zu sinnieren ist nicht gut für meinen Puls, und deshalb lasse ich es. Es ging hier auf dem Revier nun fast zügig voran. Zu gern hätte ich noch die Register von der Berber und der Meiser eingesehen, aber die Kommissarin Becker war mit Lotte fertig. Die hatten jetzt eine Anzeige in der Kartei und verwalteten das vor sich hin. Renate Bergmann musste ermitteln, wenn wir den Gängstern das Handwerk legen wollten, das stand für mich fest. Ich sagte nichts, sondern lächelte mein Omalächeln, als wir uns bedankten und verabschiedeten. Ich speicherte mir Funkruf und Imehladresse vom Kommissar Lamprecht im Händi ab. «Da schreibe ich Ihnen mal, Herr Lamprecht», schäkerte ich. «Dann haben Sie wirklich Post von einer reifen Frau aus Ihrer Nachbarschaft, hihi. Und Sie können mir zurückschreiben, wenn es was Neues in dem Fall gibt. Das übt!»

Auch Gertrud gab ihm mit einem gewissen Blick ihre Rufnummer. Sie ist einfach unverbesserlich! Ich rechnete mit keinem Gedanken damit, vom ollen Lamprecht etwas zu hören, auch wenn die kleine Beckersche uns mit tröstenden Worten verabschiedete und nicht nur alles Gute wünschte, sondern uns sogar versicherte, dass sie den Kommissar auf den Fall ansetzt. So, wie die guckte, war sie jedoch froh darüber, wenn er ihr nicht vor den Füßen rumstand.

Wir würden uns wohl selber kümmern müssen.

Gertrud, Lotte und ich fuhren jede zu sich nach Hause und verabredeten, dass wir uns gegenseitig anrufen würden, wenn wir was vom Lamprecht oder von der kleinen Becker hörten. Ich überlegte den ganzen Heimweg über, was ich mir wohl zum Abendbrot machen würde. Notfallbemme hin oder her, ich hatte tüchtigen Hunger und schlug ausnahmsweise mal über die Stränge an diesem Abend: Ich machte mir «Arme Ritter»! Die braune Butter duftete fein, es war – Verbrecher hin oder her – doch noch sehr heimelig.

Ach, wenn die Tage kürzer werden, mache ich es mir gerne gemütlich. Wissen Se, die Arbeit auf den Friedhöfen wird weniger, da muss man nur noch ab und an harken, das Laub wegrechen und aufpassen, dass einem der Wilhelm Bratwinkel die Gedecke nicht klaut. Da bleibe ich gerne zu Hause, heize mir den Kamin ein bisschen ein und kraule den Kater. Der ist ein ganz Lieber, müssen Se wissen. Oft hat man es ja bei Katzen, dass die sehr eigen sind und sich gar nicht gern anpacken lassen, aber Katerle ist schon ein älterer Herr. Der hat den Widerstand aufgegeben. Die Frauen werden das kennen, das ist bei den Männern nicht anders: Wenn sie in die Jahre kommen, halten se still. Wenn der Sommer geht, wird es am Abend schnell frisch, aber die Heizung anzustellen lohnt sich da noch nicht. Da lobe ich mir den Beistellkamin. Den heize ich mit Kien und Holz ein, lege noch drei, vier Scheite an, und im Handumdrehen ist die Wohnstube muggelig warm. Nichts ist doch ungemütlicher als eine kalte, ungeheizte Stube, die vielleicht sogar noch klamm ist wie Gertrud am Monatsende im Portemonnaie. Wie schnell holt man sich da was weg! Gerade in der Übergangszeit. Da ziehe ich auch immer eine Strickjacke an. An den Nieren muss ich es warm haben, wenn man sich da verkühlt, rennt man den ganzen Winter. Und schneidendes Wasser ist so was Unangenehmes!

Zunächst wurde es aber tatsächlich unangenehm, denn ein Feiertag und der Besuch von meiner Kirsten standen auf dem Programm. Wir waren schon mal so weit, dass wir Ostern und Weihnachten nicht miteinander gefeiert haben, aber je älter ich werde und je näher für Kirsten die Erbschaft rückt, desto dichter rückt mir das Fräulein Tochter wieder auf den Pelz an den hohen Festtagen. Dieses Jahr fiel der Einheitsfeiertag so, dass mit Brückentag vier Tage frei waren. Wissen Se, bei all ihren Fehlern ist sie schließlich meine Tochter, mein eigen Fleisch und Blut, und immerhin ist es der Tag der Einheit. Da kann man auch als Familie zusammen-kommen. Ein bisschen freue ich mich schon, wenn sie kommt – fast so sehr, wie wenn sie geht.

Solange Kirsten auf Besuch war, durfte ich auf kei-nen Fall ein einziges Wort über die Enkeltricksbetrüger erzählen oder ihr gar zu Gehör bringen, dass wir da selbst ermitteln wollten. Nee, man fährt mit Kirsten am besten, wenn man sie lächelnd erträgt, sich bei ihrem Humbug nichts denkt und die Stunden zählt, bis sie ab-reist.

Sie kam schon ganz aufgebracht an in Berlin. Am Abend vorher war se im Sauerland noch essen im Re-staurant – kochen ist ja nicht so ihrs, wenn Se ver-stehen – und hat einen wildfremden Mann gebeten, an einen anderen Platz zu gehen. Sie wollte an seinem Tisch sitzen, weil das vom Schenk Pfui her der beste Ort für ihren Energiefluss war. Ja, so wie Sie jetzt hat der auch geguckt. Es gab dann einen tüchtigen Ärger, und sie hat wohl zu Hause aus dem Smufieapparat gegessen.

Es ist nicht leicht mit ihr. Sie war noch immer ganz aus ihrer Mitte, als sie in Spandau ankam. Das war ganz in meinem Sinne, so ging sie erst mal zwei Stunden ins Gästezimmer, wo ich das Bett selbstredend frisch bezogen hatte, beklopfte ein bisschen ihre Klangschale und haderte mit Gott und der Welt. Immerhin hatten wir die Zeit bis zum Abendbrot schon mal rum, und der erste Tag war damit fast geschafft.

Wenn Kirsten kommt, erfordert das einige Vorbereitungen. Weihnachten vor zwei Jahren hat sie mir ja diesen Smufiemacher geschenkt, entsinnen Sie sich? Ich hatte Ihnen davon erzählt. Schön ist er ja, aber er nimmt in der Küche nur Platz weg und staubt ein, wissen Se. Ich nehme den nicht. Opa Strelemann ist 94 Jahre alt geworden, ohne in seinem ganzen Leben JE einen grünen Smufie getrunken zu haben! Opa hat gern Hausschlachtewurst gegessen, Brot mit Weizen drin und sich hin und wieder einen auf die Lampe gegossen. Er war auch nie nordisch Wanken. Gesund hin oder her, wir haben früher ganz anderes gegessen und sind trotzdem alt geworden! Meine Äpfel schneide ich mir in Spalten und nasche sie beim Fernsehen. Was Kirsten sich da für Gemüse in der Maschine zermalmt, nee, das ist nicht meins. Ich hole den Apparat nur aus dem Keller, wenn sie auf Besuch kommt. Ich froste das ganze Jahr über alle Essensreste ein, aus denen ich ihr wegane Smufies mache. Ob es nun die Schwarte vom Eisbein ist oder auch die Knorpel vom Kotelett – wissen Se, das Kind mit seiner Gemüseessserei ist doch gar nicht mit allen Fitaminen versorgt, die der Körper braucht! Da mische ich ihr gern ein bisschen was an Fleisch drunter. Weil es sowieso zu Mus zerschreddert wird, muss es ja kein teures Fleisch sein. Ja, den Spurenelementen ist es doch egal, ob sie im Knorpel wohnen oder im besten Filetstück! Was meinen Sie denn, was der Fleischer in die feine Leberwurst macht? Na also.

Sie würden staunen, wie fein der Smufiemacher das mahlt! Man wirft oben meinetwegen einen Bürzel von der Gans rein, gibt ein bisschen Mariacron dazu – das bringt Geschmack! –, drückt ein paar Mal auf den grünen Knopf, und Simsalabim! zaubert die Maschine eine samtige Masse daraus. Da hat man schon mal eine Basis, die Geschmack bringt und Kraft gibt. Nur immer Gemüse, ich bitte Sie! Das Mädel ist ganz dürr und hat richtig eingefallene Wangen. Da muss ich als Mutter eingreifen. Ich stelle das vorbereitete Püree immer schon in den Kühlschrank, und wenn Kirsten zuguckt, werfe ich ihre Selleriestangen und den Spinat mit rein. Wichtig ist ja, dass was Kräftiges dabei ist, was einen so starken Eigengeschmack hat, dass es alles übertüncht. Spinat ist gut, Schnittlauch geht auch. Durch den Weinbrand ist Kirsten milder gestimmt, wenn sie erst mal zwei weghat. Dann kann man mit Kopfsalat, Alpenveilchen oder Rosenkohl improvisieren.

Zum Frühstück will Kirsten immer Müsli. Ich verstehe das in gewisser Weise, sie kann ja nicht nur Smufies schlürfen. Wenn Gott gewollt hätte, dass wir uns von so was ernähren, hätte er uns die Zähne in einem kleinen Tütchen an die Hüfte geheftet. Müsli ist aber auch kein Fleisch, nur Körner. Wenn wenigstens ein paar kleine Schinkenwürfel drin sein dürften, aber nee. Was habe ich geredet und diskutiert, aber es musste mit Gewalt Müsli sein. Ich habe dann wenigstens das mit Schokoladenflocken gekauft. So bekäme Kirsten zumindest noch ein paar zusätzliche Kalorien hinter die Kiemen und ein bisschen was auf die Rippen. Aber das war auch wieder nicht richtig: Sie sammelte jede einzelne Schokoflocke raus und schimpfte. Davon kriegt man nämlich nicht nur Verstopfung, nein, man würde noch dazu übersäuern, weil der Körper daraus Säure baut, dozierte sie. Selbstredend bin ich also los, schließlich ist Kirsten nicht nur meine Tochter, sondern Gast in meinem Haus, und meine Gäste sollen sich wohlfühlen. Ich war in so einem Biogeschäft und habe nach Körnern geguckt, aber ich bin Bahnpensionärin mit beschränktem Einkommen und kann nicht die Hälfte meines Wochenbüdschees für 300 Gramm Vollwertkörner für meine Tochter ausgeben. Ich habe ihr letztlich zwei Schaufeln Haferschrot von Gunter Herbst geholt, mit dem er sonst sein Pferd füttert, und bei «Fressnapf» eine besondere Mischung für Kanarienvögel dazu. Wenn sie so einen Quatsch isst, darf sie sich nicht wundern, wenn man sie ein bisschen verklapst. Das habe ich gut gemischt, in eine braune Papiertüte gefüllt und «VVV – Vollwert Vegan Vital» draufgeschrieben, schön wackelig mit der Hand. Das sah so bio aus, dass sie es lecker fand. Sie hat es genüsslich jeden Morgen mit Stutenmilch gegessen. Die wiederum hatte sie selber mit, das habe ich nicht bezahlt. Es kommt auf zehn Euro pro Liter, ZEHN EURO! Denken Se sich das mal. Teurer als Korn!

Kirsten hatte wieder eine neue Küchenmaschine mit. Sie kennen mich ja nun schon ein bisschen und wissen, dass ich eine vom alten Schlag bin. Ich habe einen Schneebesen, zwei gute scharfe Messer und die Küchenreibe von Oma Strelemann. Damit bin ich in der Küche nun schon über 60 Jahre sehr gut ausgestattet und komme zurecht. Eine anständige Hausfrau braucht keine Küchengeräte mit Strom. Wenn die Ossiporose mir in der Hand mal schlimmer zu schaffen macht, werfe ich zum Backen den Handmixer an. Mehr aber auch nicht! Der ganze andere Kram ist reine Geldschneiderei, steht nur rum und setzt Staub an. Ariane hat sich sogar einen elektrischen Zwiebelschneider andrehen lassen, denken Se nur. Bis sie überhaupt den Deckel in die Raste reingefummelt hat und drücken kann, bin ich schon fertig, meine Zwiebel mit dem kleinen schwarzen Messer zu würfeln.

Und der Abwasch erst! Man muss das Ding auseinanderschrauben, der Behälter muss abgewaschen werden, an den scharfen Messern darf man sich nicht schneiden, und der Elektro darf nicht ins Spülwasser.

Wenn man denkt, dass man fertig ist, läuft einem

aus einer Ritze dann altes Spülwasser entgegen, und man muss auch noch den Küchenboden wischen. So einen Blödsinn hat sich Ariane verkaufen lassen, aber nach zweimal Abwaschen hat sie es selber gemerkt und nimmt den Apparat nun nicht mehr. Er steht seither auf der «Küchenzeile», wie die jungen Dinger zur Anrichte sagen, und staubt ein.

Sie haben einen Eindruck, wie ich zu Küchenmaschinen stehe, nich wahr? Sie können sich also meine Begeisterung vorstellen, als Kirsten am nächsten Morgen mit einem beheizbaren Rohkostschnitzler aus dem Gästezimmer kam und ihn mir strahlend mit dem Satz «Hab viel Freude damit, Mama» auf den Küchentisch stellte. Es war eine Thermosmischmaschine. Im Prinzip sah es aus wie eine große Küchenschüssel mit Strom. Kirsten zählte wohl eine Viertelstunde lang auf, was man damit alles machen kann. Außer Kunstherzen verpflanzen und Tischtennis konnte das Ding angeblich alles. Kochen, Brot backen, häckseln, Reis dämpfen und Weißkohl raspeln. Ich hörte mir das alles geduldig an. Ich atmete ein paar Mal tief und so, dass Kirsten es bemerkte. Sie sollte schließlich sehen, dass ich ihre Tipps befolgte und zu Herzen nahm. Ich fragte ganz arglos: «Kirsten, mein Kind, und was kann nun dieser Thermosbottich, was ich nicht auch auf dem Herd mit weniger Abwasch kann?»

Sie guckte wie als kleines Mädchen, wenn ihr Lieblingshase geschlachtet werden sollte. Wissen Se, Blödsinn hin oder her – das Kind meinte es ja gut und wollte der Mutti eine Freude machen und ihr die Arbeit erleichtern. Deshalb machte ich kein Theater, sondern lächelte milde und versprach, den Thermomatenschredder zu benutzen. Ich nahm das Wischtelefon und gockelte nach, was so was kostet. Mir verschlug es ja fast die Sprache, sage ich Ihnen – für das Geld hätten Se auch einen gebrauchten Kleinwagen bekommen!

Ich habe mir dann wirklich Mühe gegeben, zumal Kirsten dauernd fragte, wie «wir zwei» zurechtkämen. Ja, lachen Se nicht, die Leute, die so ein Gerät haben, werden ein bisschen komisch und reden von sich und ihrer Kochmaschine, als wären sie verlobt. Ich bin beim Fäßbock sogar in eine Gruppe eingetreten – das kostet keinen Beitrag, sonst käme das natürlich nicht in Frage; eine Renate Bergmann klickst nichts, was Geld kostet. Na, da können Se Sachen sehen! Eine Frau – sie hieß «Thermiefee82» – hat berichtet, dass sie mit dem Mixer in den Urlaub fährt, weil sie ihren besonderen Brotaufstrich nicht missen mag. Sie zeigte ein Foto, auf dem der Apparat auf dem Rücksitz angeschnallt zu sehen war. Ich schüttelte den Kopf und dachte so bei mir: «Bestimmt macht sie nur einen Scherz, Renate.» Humor ist ja oft verschieden. Aber ich guckte weiter, und was soll ich Ihnen sagen: Die hatten da alle einen kleinen Knall! Die kochten Nudeln in einer Maschine, die zwölfhundert Euro gekostet hat und mehr Abwasch macht, als wenn man Buttercremetorte mit Bisquitboden backt. Ich bitte Sie! Denkt denn heute gar keiner mehr nach? Eine schrieb: «Ich habe vier Schachteln Fif-

fifee-Pralinen, was kann ich damit im Thermomischer kochen?» Ich konnte mir beim besten Willen nicht vorstellen, dass diese Frage ernst gemeint war, und schrieb «Buletten mit Porreegemüse» unter das Bild. Wohl zwei Stunden habe ich gesucht und gelesen, was man mit der Gerätschaft machen kann, aber was soll ich Ihnen sagen: Ich habe nichts gefunden, was ich nicht ohne halb so viel Aufwand auch selber gekonnt hätte. Dann bin ich wieder ausgetreten aus der Gruppe, wissen Se, bevor die mich noch auf dem Scheiterhaufen verbrennen, weil ich die Feen-Regeln nicht beachte. Das habe ich nicht nötig in meinem Alter. Um des lieben Friedens willen habe ich ein paar Mal Semmelmehl mit dem Ding gemahlen und Kirsten sogar Bilder geschickt. Da hat sie sich gefreut und war zufrieden.

Und immer, wenn ich Eintopf gekocht habe, habe ich ihn hinterher in den Mischheizer gefüllt und mit dem Händi fotografiert. So hatte ich was auf Lager, wenn Kirsten nachgefragt hat. Ich konnte fix ein Bild schicken, und Ruhe war. An sich habe ich all den Kram aber in den Keller verbannt in den ollen Schrank. Darin hebe ich eben den Smufiemacher und lauter andere Sachen von Kirsten auf. Haben Se auch so ein Fach in der Schrankwand, wo man den Tinnef lagert, den man geschenkt bekommen hat? Wenn ich weiß, dass Kirsten auf Besuch kommt, gehe ich runter, hole den Plunder hoch, staube ihn ab und verteile das Zeug in der Wohnung. Die Fischschuppen zum Beispiel, die ich in die Küche legen soll, weil da die Reichtumsecke ist und die Dinger das Geld anziehen sollen. Ich bitte Sie, die Leute denken noch, ich hätte nicht richtig geputzt!

Am Brückentag war Kirsten außer Haus. Sie nutzt die Zeit in Berlin immer, um sich mit ähnlich gestrickten Frauen zu treffen und sich neuen Kokolores auszudenken. Sie nennen es «Trendmesse der Esoterik». Sie riecht danach immer ganz verqualmt von den ganzen Räucherstäbchen und hat es schlimm im Knie, weil sie den halben Tag im Schneidersitz rumkauert. Ich war froh darum, so war sie mir aus dem Haus, und ich konnte mal schön durchfeudeln.

Es war noch nicht neun, da schellte es. Ich war gerade beim Aufwischen. Die Küche blitzte schon. Danach gehe ich immer durch den Flur, und zum Schluss wische ich die Badestube. Genau in der Reihenfolge, wegen der Hügene, wissen Se. Man wäscht sich ja auch erst das Gesicht und zum Schluss untenrum. Wie auch immer … ich war gerade beim Aufwischen, als es läutete. Als ich mich hochbückte, düselte es ein bisschen, aber das ist immer so vorm ersten Korn. Ich machte also auf – natürlich nur einen Spalt bei vorgelegter Kette –, da stand da eine junge Frau. Lassen Se die vielleicht Mitte 50 gewesen sein. Sie käme von der Firma dahinten vorm Werk oder so ähnlich wegen eines Deckels, murmelte sie, und geschickt hätte sie meine Tochter. Ich habe mir erst mal den Ausweis zeigen lassen. Eine Renate Bergmann lässt doch keine fremde Person in die Wohnung, ich bin doch nicht plemplem! Erst recht, wo ich ja nun wegen der Vorfälle sozusagen simsala… sensibilisiert war und wusste, was alles passieren kann.

Damit ging es schon los. Die Dame wühlte in der Handtasche. Das zog sich, bis die was gefunden hatte, sage ich Ihnen. Sie kennen das ja, Frauen und ihre Handtaschen! Immerhin trocknete der Flur bei der Zugluft zügig ab, deshalb beließ ich es bei der geöffneten Tür. Endlich wurde die Frau fündig. Allerdings hatte sie keinen Dienstausweis, sondern einfach nur einen Personalausweis. Ich bitte Sie. Was glaubte die denn, wen die vor sich hatte? «Ich weiß nicht, wer sie geschickt hat und was sie bei mir wollen. Ich mache Ihnen nicht auf, verschwinden Se bitte, sonst rufe ich die Polizei.»

Sie hat wohl noch zehn Minuten lang geklopft und gerufen, aber da habe ich gar nicht hingehört. Ich habe meine Ilse-Werner-Platte lauter gestellt und die Badestube tüchtig gewischt. Da muss man auch mal auf die Knie, wissen Se, gerade unterm Waschbecken sammelt sich der Staub! Irgendwann muss die angeblich von Kirsten gesandte Dame wohl gegangen sein, jedenfalls war Ruhe. Allerdings hielt die nicht lange. Lassen Se es eine Stunde gewesen sein, da schellte der Fernsprecher im Flur. Heute hat man ja nicht mehr die Geräte aus Bakelit. Kennen Sie die noch? Diese schönen schwarzen Telefone, die man mit einem feuchten Lappen abwischen konnte? Ach, das war praktisch. Heute mit diesen Glasscheibchenteilen, da muss man ja so aufpassen. Auch Festnetz ist ja schon mit Glasscheibchen. Was alles passieren kann, wenn man nicht achtgibt!

Ilse und Kurt haben jetzt ebenfalls so ein Scheibchendingens, der Enkel, der Jonas, hat es mit ihnen gekauft. Sie kommen aber ü-ber-haupt nicht damit zurecht. Außerdem hat der Enkel Kurt gezeigt, wie man mit «Gelb», «Acht» und «Fensterchen» das Licht beim Nachbarn an- und ausmachen kann. Die beiden hatten eine diebische Freude. Nee, der Jonas! Ein ganz Ausgefuchster ist das. Der schlägt nach Kurt. Er hat es faustdick hinter den Ohren! Wenn der in den Ferien auf Besuch ist, machen die beiden nur Dämlichkeiten. Man glaubt das kaum, aber der olle Zausel und der Bengel verstehen sich wie zwei Indianerblutsbrüder und hecken einen Streich nach dem anderen aus. Jonas hat Kurt auch gezeigt, wie man mit dem Händi bei den Nachbarn den Fernseher umschalten kann, denken Se nur. Was hatten die beiden für eine Freude, als sie beim Elfmeterwerfen von Fußball auf «Germany sucht das Topmodel» umgeschaltet haben. Es war so ein Geschrei im Nachbarhaus, dass Ilse die Gardinen zugezogen hat. Als die Ferien vorbei und der Jonas wieder weg war, kehrte aber Frieden ein. Kurt drückte noch ein paar Mal auf dem Gerät rum, aber er verlor bald das Interesse und ließ es wieder sein. Ilse drückt am Hauptapparat in der Diele immer was verkehrt. Jonas hat jedenfalls gesagt, dass im Speicher 93 Fotos von Ohrmuscheln sind. Ich glaube, das passiert immer dann, wenn ich nur «Tüüüt, tüüüt, tüüüt» höre statt Ilses

Stimme. Die drückt auf Foto! Ach, ich sage Ihnen, es ist nicht leicht für uns olle Leute mit diesen Telefonen. Viel zu klein sind die, und ich bitte Sie, so teuer kann es doch nicht sein, dass man nicht wenigstens schöne große Tasten dranmachen kann! Da wünsche ich mir mein altes Bakelittelefon zurück, das konnte man benutzen, ohne dass man aus Versehen ein Sparabo mit tanzenden Fröschen abgeschlossen hat.

Jedenfalls trocknete ich mir die Hände gut ab – mit feuchten Fingern können Se schieben und drücken, da passiert gar nichts auf diesem Wischapparat, das sage ich Ihnen! – und guckte auf das Fensterchen. «KIRSTEN» blinkte es in Großbuchstaben. Ich pustete noch mal durch, stellte mich dumm und ging dran.

«Bergmann, Spandau, guten Tach?»

«Mama!»

«Bist du es, Kirsten?»

«Wer nennt dich denn sonst noch Mama?»

«Man weiß nie, was für Halunken einen anrufen! Hast du noch nie was vom Enkeltrick gehört? Die geben sich als Enkel aus und wollen ans Geld ... wer weiß denn, ob die nicht auf Kindertrick umgestellt haben?»

«Du guckst zu viele Krimis, Mama. Und dann kriegst du wieder Angst und kannst die ganze Nacht nicht schlafen! Aber deshalb rufe ich nicht an ... warum hast du Vorwerk-Vertreterin wieder weggeschickt?»

«Die kam wirklich von dir? Nun hör aber auf.»

«Wir haben doch darüber gesprochen, dass ich dir

für den Aromadeckel noch mal die Heidrun vorbei-
schicke.»

«Falsch, mein Kind. Du hast gesagt, du willst jemanden schicken, und ich habe gesagt: ‹Nur über meine
Leiche kommt mir hier eine fremde Person in die Wohnung.›»

«Du kannst jedenfalls die arme Heidrun nicht einfach
wegschicken!»

«Ich habe sie nicht weggeschickt. Ich habe sie ledig-
lich nicht reingelassen. Die sah genauso aus wie die
Krankenschwester neulich bei ‹Dem Verbrechen auf
der Spur›, die über zwanzig Rentnern die Todesspritze
verpasst hat!»

«Mama! Das war in den 70ern, und es war in Ame-
rika!»

«Heute kriegen die doch alle Ausgang im Gefängnis! Und mit dem Flugzeug ist die in acht Stunden hier.
Ich weiß Bescheid. Die Dame konnte keinen Ausweis
zeigen, und außerdem komme ich sehr gut allein zurecht und brauche keinen Aromadeckel. MEIN ESSEN
schmeckt auch so. Und nun entschuldige mich bis später, mein Wischwasser wird kalt.»

Ich drückte auf den roten Hörer. Das ist Auflegen.
Der grüne Knopf ist «Annehmen», wenn es klingelt,
und «Verbinden», wenn man schon spricht. Das habe
ich mal versehentlich gedrückt und dann einen Schreck
bekommen und die Kurzwahl von der Meiser erwischt,
als ich Kirsten noch in der Leitung hatte. Die beiden
haben eine halbe Stunde lang über das Orakel geredet,

das Kirsten meiner Nachbarin bei ihrem Weihnachtsbesuch gelegt hat. Die Frau Meiser beschwerte sich, dass der vorhergesagte Mann noch immer nicht in ihr Leben getreten war. Kirsten hatte nämlich im Orakel gesehen, dass ein Kerl von Süddeutschland her kommen würde im ersten Halbjahr. Die Meiser lungerte nun in jeder freien Minute auf dem Busbahnhof rum und lächelte alle Kerle an, die aus den Fernbussen stiegen, aber bisher war der Vorhergesagte nicht dabei.

Wie praktisch das doch war, als man einfach wütend den Hörer auf die Gabel knallen konnte! Hach ja.

Während ich noch Staub wischte, ging mir die Geschichte gar nicht mehr aus dem Kopf. Muss ich mich jetzt schon vor meiner Tochter rechtfertigen, dass ich Obacht gebe und mich nicht ausrauben lasse? Kirsten meint es oft gut, aber sie denkt nicht von zwölf bis Mittag. Mir eine Frau ins Haus zu schicken, die mir einen Aromadeckel andrehen soll, wissen Se, das ist im Grunde eine Unverschämtheit. Als würde mein Essen nicht schmecken! Wenn die Maschine das Zubereiten nun leichter machen würde, ja. Man muss der Tatsache ins Auge sehen, ich bin 82 und kein Springinsfeld mehr. Aber auch, wenn die Arbeit beschwerlich ist und ich nicht mehr so fix bin wie ein jungscher Hüpfer von 70 – mir macht beim Kochen und bei der Hausarbeit keiner was vor! Meine Fenster werden öfter geputzt als die der anderen Weiber hier im Haus, die wohl an die 50 Jahre jünger sind, und wenn ich Eisbein koche, leckt sich jeder die Finger danach. Und da schickt man ausgerechnet MIR eine Aroma-Frau! Ich musste so laut lachen, dass mir fast die Prothese entgegenkam.

Ein Kriminaltechniker kann ja einen Menschen identifizieren, wenn er nur ein paar Hautzellen von dem hat. Wenn Kurt seine Brille nicht aufhat, kann er Ilse nicht vom Gummibaum unterscheiden.

Nach dem Mittagbrot hatte ich mich ein halbes Stündchen hingelegt. Ab einem gewissen Alter macht man gern einen kleinen Mittagsschlaf. Die Kräfte lassen doch nach, auch wenn alle immer staunen, wie rüstig ich noch bin. Nee, so ein kleines Schläfchen – es reicht schon eine halbe Stunde, sonst ist man ganz bedröppelt – erfrischt und gibt einem noch mal Kraft für den Tag.

Ich war kaum wach, da klingelte es schon wieder an der Tür. Was war denn wohl heute los, war die Menschheit ganz außer Rand und Band? Sonst ist tagelang nichts und heute das! Das Klingeln war nicht von der Haustür unten, sondern direkt oben an der Wohnungsluke.

Ohne Brille und noch ganz benommen vom Schlaf, machte ich einfach die Türe auf, ohne durch die Kette zu fragen, wer da überhaupt war. Vor mir stand ein junger Mann, der gleich loslegte: «Tante Renate, ich habe meine Brieftasche mit allen Karten zu Hause vergessen. Kannst du mir mal schnell 50 Euro leihen, damit ich tanken kann?»

Schlagartig war ich putzmunter! Mir schoss ja gleich der Puls an die Decke, sage ich Ihnen. Der Blutdruck war in diesem Augenblick bestimmt so hoch, dass die Messapparatur von der Dokterschen wild gepiept hätte.

Fast 50 Jahre hatte ich «Die Krimipolizei warnt» geguckt und nun das: Jetzt war tatsächlich so ein Gängster an meiner Tür!

«Wie kommt dieser Tunichtgut überhaupt in das Treppenhaus?», schoss es mir noch durch den Kopf, und ich ärgerte mich, dass ich die Wohnungstür geöffnet hatte, ohne vorher wenigstens durch den Spion zu schauen. Aber wissen Se, wenn es auf der Etage läutet und nicht unten an der Hauspforte, wird man schon mal leichtsinnig. Mausetot hätte ich sein können, erschossen oder erstochen oder sonst was! Ich hatte offensichtlich Glück im Unglück und war an einen von der Sorte geraten, die nur Geld wollten und einem nicht gleich mit dem Springmesser die Kehle aufschlitzten.

«Einen Augenblick», sagte ich, trat dem Eindringling mit einem raschen Tritt auf den Fuß und schob ihn aus der Tür wie einen Handtaschendieb. Ich drückte die Tür ins Schloss und riegelte erst mal ab. «Ruhig Blut, Renate», dachte ich bei mir, «dem zeigst du es!»

Ich gebe zu, ich hätte die Polizei anrufen sollen. Stattdessen sind se mit mir durchgegangen, und ich griff nach dem Schuhspanner, der auf der Flurgarderobe lag. Jetzt im Herbst hat man so schnell mal die Feuchtigkeit im Schuh, überall die Pfützen und das nasse Laub … da trockne ich mein gutes Schuhwerk nach jedem Spaziergang über dem Spanner. Wenn man seine Sachen gut pflegt, halten sie auch! Das Holzding lag gut in der Hand, fast wie eine feste Salami. Damit konnte ich dem Lump eins überziehen. Während ich wieder aufschloss, sagte ich: «So, jetzt habe ich das Geld», um ihn in Sicherheit zu wiegen, und zog ihm den Schuhspanner mit Schwung über die Rübe. Na, ich sage Ihnen, der hat sich aber gekrümmt und gewimmert, der … Stefan.

Ich … es … mir ist es in der Tat sehr unangenehm, aber es hilft ja nichts, ich muss es unumwunden zugeben: Es war gar kein Gängster, der da geklingelt hatte, es war wirklich Stefan. Ich hatte die Brille eben nicht auf, wissen Se … aber an dem Jungen ist nichts zurückgeblieben. Es war nur ein Platzwunder. NUR EINE PLATZWUNDE. Herrje. Was hat der Bengel für ein Gewese gemacht, sage ich Ihnen, nee! Er krümmte sich, fragte, ob ich wohl noch alle hätte, was in mich gefahren wäre und so was, und ging dann k. o. zu Boden. Nicht vom Schlag, sondern weil er kein Blut sehen kann! Ich zählte bis zehn, aber von alleine kam der nicht wieder auf die Beine. Beim Boxer zählen se ja auch bis zehn, nicht wahr? Ich musste nach Frau Meiser rufen und sie bitten, ihn mit mir in die Wohnstube zu schleifen. «Gleich auf die Couch, Frau Mei… NEIN! Warten Se! Ich lege erst ein Handtuch drunter, der saut mir ja sonst die ganzen Polster ein!»

Selbstverständlich habe ich Schonbezüge über der Couch, damit da nichts drankommt. Die war schließlich teuer. Um die Schonbezüge zu schonen, die auch viel Geld gekostet haben, habe ich die Couchdecken darauf liegen, aber es war ja nicht einzusehen, dass die nun eingesaut wurden wie beim Schlitzer-Massaker.

Ich holte ein dunkles Füße-Handtuch und die richtige Brille. Jetzt sah ich es erst: Es war zweifelsohne der Stefan, mein Neffe, der da blutüberströmt auf dem Sofa lag. Ich hatte ihn mit dem Schuhspanner wohl an der Braue erwischt. Die Meiser ist auch so ein junges Ding ohne Lazaretterfahrung und wollte gleich nach dem Rettungsdienst telefonieren. «Lassen Se das bloß bleiben, Frau Meiser. Die machen nur Theater. Der Junge ist gegen Tetanus geimpft, der kriegt da jetzt ein Pflaster drauf und einen Korn gegen den Schreck, dann ist der versorgt. Da bleibt schon nichts zurück. Wollen Se etwa, dass wir mit der Geschichte noch in die Zeitung kommen? Stefan, und du reißt dich jetzt mal ein bisschen zusammen. Soll Tante Renate ‹Heile, heile, Gänschen› für dich singen?», fragte ich vorsichtig zur Couch rüber, wo der junge Kerl sich gebärdete, als würde er mit dem Tod ringen. Männer eben, Sie verstehen? Bei dem Gedanken an «Heile, heile, Gänschen» musste er jedoch lachen. Frau Meiser half noch mit, den Jungen notdürftig zu waschen. Wissen Se, das Blut war überall, und Stefan kann wirklich keins sehen. Der war weiß wie eine frisch gekalkte Wand und hatte kalten Schweiß auf der Stirn. So ist er damals schon abgeschmiert, als die Ariane die kleine Lisbeth geboren hat. Er sollte die Nabelschnur durchschneiden und klatsch, lag er auf den Fliesen im Kreislauf. Saal. Die Hebamme hat sich so erschrocken, dass sie die Nachgeburt auf ihn fallen ließ, und es gab ein Gemenge, und sie mussten erst mal großreinemachen. Stefan kam an einen Tropf.

Heute reichte ein Spritzer handwarmes Wasser. Den Kreislauf brachte ich wieder in Schwung, indem ich ihm teelöffelweise Korn einflößte.

Aber ich sage es Ihnen frei heraus: Das konnte doch so nicht weitergehen! Ich war ja völlig fertig mit den Nerven! Überall witterte ich Lug und Trug. Es durfte nun nicht so weit kommen, dass die mir Angst machten. Betrug an alten Leuten ist nicht zum Lachen, und dass die Polizei ihnen nicht hilft, erst recht nicht! So was darf man nicht zulassen, nein, man muss sich wehren.

Zweimal rief tatsächlich der Kommissar Lamprecht hier an, einmal Festnetz und einmal Händi. Ich staunte nicht schlecht, dass der sich wirklich meldete. Er wusste jedoch nichts Neues zu berichten, wollte sich nur mal melden und hören, ob eventuell noch mal jemand angerufen hätte oder uns noch was zur Sache eingefallen war. Ansonsten murmelte der nur von «laufenden Ermittlungen». Das waren eindeutig ausweichende Antworten. So was hört eine Renate Bergmann doch! Das war klar wie Gertruds dünner Bohnenkaffee. Nee, nee, nee, hier mussten wir Alten ran! Langsam reifte in meinem Kopf ein Plan, aber mit Kirsten im Haus war die Zeit dafür einfach nicht reif.

Die vier Tage, die das Mädchen in Berlin war, waren für mich verloren. Wissen Se, ich hatte ja ganz andere Sachen im Kopf als Energiearbeit, Seelensmog und Sonnengruß. Ich wollte Pläne schmieden, wie man die Omabeschupser an die Kandare kriegt. Immer wenn das Telefon klingelte, zuckte ich zusammen. Wenn die es wieder gewesen wären? Ich war doch noch gar nicht richtig vorbereitet! Ich sage Ihnen, selten winkte ich Kirsten so erleichtert hinterher, als sie von dannen ballerte mit ihrem Sportwagen wie an diesem Oktobertag.

Als ich endlich wieder für mich war, wurde es höchste Eisenbahn, Ilse, Kurt und Gertrud ins Vertrauen zu ziehen. Ich bat sie noch am selben Tag zu mir. Das duldete jetzt keinen Aufschub mehr, es war schon so genug Zeit verlorengegangen!

«Ist das nicht zu gefährlich?», fragte Ilse und guckte sich ängstlich um. Ilse ist so eine weinerliche olle Tante, die geht auch nicht auswärts pullern, weil sie denkt, sie holt sich da was. Die hat IMMER Angst, da darf man keine Rücksicht drauf nehmen.

Gertrud hingegen war Feuer und Flamme. «Da arbeiten wir dann mit dem Kommissar Lamprecht zusammen, das ist eine gute Gelegenheit, den ein bisschen besser kennenzulernen», sagte sie freudig und gab dem Hund ein Stückchen von meinem Frankfurter Kranz. Norbert schnappte einmal zu, und es war weg.

«Gertrud, lass bloß die Finger vom Lamprecht! Du bist bei Gunter Herbst in guten Händen. Und außerdem könnte der Kerl dein Sohn sein!», schimpfte ich sie, aber sie hörte gar nicht zu. «Renate, hör doch mal», entgegnete sie, «der hat mich angerufen. Ein sehr netter Herr. Der hat Manieren, steht im Staatsdienst und hat Anspruch auf eine gute Versorgung, wenn er nächstes Frühjahr in Rente geht.» Da hat se recht. Meine Cousine Hilde hat damals einen Beamten geheiratet, den Herrmann. Beamte zu ehelichen, ist immer gut, da ist man auf der sicheren Seite. Wo doch heute nichts mehr sicher ist – die Versorgung von Beamtenwitwen ist sicher! Ich weiß gar nicht, ob der Herrmann noch lebt, sehen Se, da wollte ich seit Jahren mal wieder anrufen. Sie wohnen im Schwäbischen und melden sich von sich aus nie, weil es zu viel kostet. Da muss ich dann aber auch kein schlechtes Gewissen haben, wenn ich nur alle Jubeljahre mal anläute.

Gertrud hatte offenbar nicht nur einmal mit dem Kommissar Lamprecht telefoniert, sondern ihn sogar schon getroffen! Ich musste gar nicht weiter fragen, denn sie plapperte munter drauflos: «Er hat mir das Band gezeigt, an dem er jeden Tag einen Zentimeter abschneidet. Nächsten Februar wird er pensioniert!», gab sie mit einem merkwürdigen Unterton zum Besten.

Sie schlug sogar vor, den Lamprecht zur Wassergymnastik einzuladen. Da war nämlich gerade einer der begehrten Plätze frei geworden, weil Herr Steinecke nicht mehr kommt. Fräulein Tanja, unsere Kursleiterin, hatte vom Beckenrand gerufen: «So, und nun fassen alle mal an die Nudel von ihrem Hintermann.» Das hat Gertrud sich nicht zweimal sagen lassen und den ollen Steinecke in den Schwitzkasten genommen. Seitdem ist er sozusagen abgetaucht. Hihihi. Das ist jedoch noch lange kein Grund, den Lamprecht zum Aquaturnen einzuladen! Ich wies sie deutlich zurecht, das können Sie mir glauben. Nee, also bei Gertrud hat der liebe Gott vergessen, zusammen mit den Hormonen die schmutzigen Gedanken runterzufahren. Wenn die einen Mann im Blick hat, geht sie an den ran wie Norbert ans Gehackte.

Das fehlte mir noch! Ich kam gar nicht dazu, mich richtig aufzuregen, da ging die Türglocke.

«Ilse, mach doch bitte mal auf. Aber frag erst, wer da ist!» Die Warnung war bei unserem vorsichtigen Ilschen jedoch überflüssig, die drückte immer erst auf den kleinen Fernsehbildschirm, den ich neben der Türe hängen habe und auf dem man jeden Besucher ansehen kann.

«Es ist Stefan!», flötete sie aus dem Flur, während sie aufdrückte. Ganz vorsichtig kam er zur Türe rein und guckte sich um. Er hatte noch immer ein Pflaster auf der Stirn. Hoffentlich fragte keiner danach, sonst müsste ich noch allen erzählen, wie das gekommen war.

«Ach, so eine Freude. Stefan! Wie schön, dass du deine olle Tante auch mal wieder besuchst. Ach, guck, hast du dich beim Rasieren geschnitten?», fragte ich und zwinkerte ihm zu. Keiner hat was gesagt, aber Ilse runzelte die Stirn. Der macht man nicht so schnell was vor.

Ich kniff Stefan in die Wange. Das mag er nicht, da hat er sich immer dumm und windet sich. Aber ganz erwachsen werden sie doch nie, nicht? Ich lächelte und fragte mich, was der wohl wollte. Es passte mir gar nicht, dass er hier mitten in unsere Planungen reinschneite. Erst störte Kirsten tagelang und nun auch noch Stefan. Kann man nicht mal eine Verbrecherbande fangen, ohne dass die Verwandtschaft einem in die Parade fährt? Der Junge marschierte durch in die Küche, setzte sich auf die Couch und guckte wie bestellt und nicht abgeholt. Mit großen Augen schaute er sich um. «Wo hast du denn das Eisbein? Ich sehe gar nichts?», sprach er enttäuscht.

Ach du liebe Güte! Ich hatte ihn ja zum Eisbeinessen eingeladen und es völlig vergessen. Jetzt im Herbst, wo es draußen kühler wird, kommt ja nach all der kalten Katzpatchosuppe doch wieder der Appetit auf was Deftiges. Da wollte ich Eisbein mit Erbspüree und Sauerkohl machen und hatte Stefan nach unserem kleinen … Vorfall dazu eingeladen. Das essen wir gern zusammen, wissen Se, aaaach, mit ordentlich scharfem Mostrich dazu – wunderbar! Für einen allein lohnt das ja nicht. Die Ariane schlägt sich wacker als Hausfrau, da will ich nichts sagen, schon weil es sonst nur Ärger gäbe. Sicher, sie hat kein Schrankpapier in den Küchenschubladen, schmeißt die Innereien vom Hühnchen einfach weg, und manchmal brennt ihr der Milchreis an. Aber wissen Se, das sind Kleinigkeiten. Man muss heutzutage schon froh sein, wenn sie sich nicht nur von Tütensuppe und «Schinken MäcNackend» ernähren.

Das Eisbein … herrjemine. Gekauft hatte ich es beim Metzger, kräftig durchgepökelt lag es im Kühlschrank.

Aber es gibt nun wirklich Wichtigeres in so einer Situation als Essen! Wir waren dabei, Verbrecher aufs Kreuz zu legen. Allerdings durfte Stefan davon nichts erfahren, der würde sich nur wieder aufregen. Ich kenne den doch, der traut uns Alten nichts zu! «Stefan, nun sag bloß, hast du meinen SM nicht gekriegt?», stellte ich mich dumm. «Ich habe eben geschrieben, dass Tante Ilse der Bügel von der Brille abgebrochen ist und wir zum Optiker müssen. Das Eisbein gibt es übermorgen.»

Flunkern kann ich. Wissen Se, ich habe vier Ehen geführt, und ohne ein bisschen Flunkerei dürfte ich heute wohl nicht sagen, dass sie im Grunde genommen alle vier glücklich waren.

Stefan zog sein Händi raus und guckte alles nach. «Wann hast du mir geschrieben? Und wo? WhatsApp, E-Mail oder SMS?»

«Was weiß denn ich? Das Grüne.»

Er konnte nun wirklich nicht erwarten, dass ich den ganzen Quatsch noch mit Namen behalte.

Stefan wischte wie ein Wilder in seinem Händi rum, aber da konnte er lange suchen. Der musste außerdem ganz ruhig sein, der verschickt auch Nachrichten, die kein gesunder Mensch versteht! Letzthin schrieb er: «Wann machst du wieder d1e Kartoffelsuppe?» Keine Anrede, kein «Hallo, liebe Tante Renate, wie geht es dir?», nichts. Das ist man ja schon gewohnt, so reden die eben heutzutage. Kein Gruß, einfach drauflos. Aber nun sind sie sogar schon zu faul, «deine» auszuschreiben. Was meinen Se, was ich rätseln musste! Hin und her habe ich überlegt und den Bengel dann angerufen. Ausgelacht hat er mich und gemeint: «Das spart Zeichen, wenn man tippt, und es ist kuhl.» Na, dem habe ich es gezeigt. Als er zum Essen kam, habe ich ihm die Kartoffelsuppe ohne Würstchen hingestellt. «Das spart und ist kuhl, wegen wegan. Frag mal Kirsten!», habe ich gesagt. Ganz bedröppelt geguckt hat der, wie ein begossener Pudel. Hihi, der Spaß ist mir gelungen! Natürlich habe ich die Würstchen noch geholt. Ich würde doch keine Kartoffelsuppe ohne Bockwurst reichen! Aber Stefan hat es gelernt, der hat nie wieder so komische Nachrichten geschrieben. «D1e Kartoffelsuppe». Pah! Nee, man muss nicht jeden Schnickschnack mitmachen.

Oder auch die Sache mit dem Gugelhupf. Bestimmt kennen Se den Kuchen, oder? Ach, es geht doch nichts über einen schönen, klassischen Gugelhupf! Ich habe zu Lisbeths Geburtstag zusammen mit Ariane einen gebacken. Das Mädel muss das lernen, und ich bin froh über jeden Anlass, zu dem wir gemeinsam in der Küche arbeiten. Erstens redet es sich da gut, so von Frau zu Frau, und hinzu kommt, dass Ariane wirklich Nachhilfe gebrauchen kann. Auftauen und Büchse öffnen kann sie ja, aber schon beim Kartoffelnschälen wird es kritisch. Die schält so dick, da tränt einem das Herz. Gerade heute, wo das Kilo Kartoffeln bald so viel kostet wie ein Pfund Spargel, muss man besonders dünn schälen … aber es bringt ja nichts, dem Kind reinzureden, es macht sowieso, was es will. Doch die Gelegenheit zum Backen ergriff ich gern und zeigte ihr Gugelhupf. Ariane war ganz angetan und aufmerksam bei der Sache, ich konnte mich nicht beklagen. Sie rührte fleißig mit, und als wir den fertigen Kuchen nach dem Backen gestürzt hatten und er in seiner ganzen Pracht vor uns lag, da strahlte sie voller Stolz. Er war wirklich gut gelungen. Manchmal backt der Herd ja nicht gut, da kommt es auch immer ein bisschen drauf an. Aber Arianes Herd ist ein solides Gerät, ganz wunderbar. Wir hatten den Kuchen während der Backzeit zweimal gedreht, so wurde er gleichmäßig goldbraun. Wie das heute so ist, musste Ariane das schöne Stück natürlich fotografieren und ins Interweb stellen. Sie glauben es nicht, sie hat tatsächlich geschrieben: «Hier ist er, mein erster Googlehupf!»

Ich bitte Sie. Und dabei ist es eine Schlaue, die Ariane, eine Studierte sogar! Da frage ich, was das wohl noch mal werden soll mit unserer Jugend. So kann es doch nicht weitergehen! Gucken Se bloß mal beim Fäßbock, was die so schreiben. Sicher, ich mache bei den englischen Wörtern hin und wieder einen Fehler. Aber ich benutze Ausrufezeichen nicht im Rudel, und ich schreibe auch im ganzen Satz ohne tanzende Frösche drum herum.

Die können doch nicht alle Legasthenie haben, ich bitte Sie! Die sind einfach nur zu faul, es richtig zu tippen. Aber wo war ich? Ach, bei Stefan.

«Nun leg das Telefon weg, Junge, es ändert ja nichts. Eisbein gibt es heute nicht. Willst du einen Tee?»

«Tante Renate, hier stimmt doch was nicht. Du vergisst nicht zu kochen! Erzähl mir nichts, was ist hier los? Was heckt das Rentnerquartett schon wieder aus? Ihr habt doch irgendeinen Quatsch im Kopf!» Er guckte Kurt an, der einen Geigenkasten auf dem Schoß hielt. Das konnte ich verstehen, so verdutzt hatte ich auch geguckt, als Kurt mit dem Ding zur Türe hereingekommen war. Ich musste fast lachen, sage ich Ihnen. «Kurt, was zum Teufel willst du denn mit dem Geigenkoffer? Wie seinerzeit Dr. Watson in dem schönen alten Film, was? Hihi!», fragte ich nach.

«Der schreckt die Verbrecher ab. Die denken, dass ich da ein Maschinengewehr drin habe.» Woher er das nun wieder wusste? Man musste sich wirklich über seinen Umgang wundern. Ich ließ ihm allerdings den Koffer, wissen Se, der war wirklich praktisch. Da konnte alles rein, was wir so mitnahmen. Es war gar nicht einzusehen, dass wir Frauen das alles in unsere Handtaschen quetschen sollte. Und sind wir mal ehrlich – Männer sehen ja mit einer Handgelenkstasche nicht weniger albern aus als mit einem Geigenkoffer! Wir ließen Kurt also seinen Spaß.

«Red keinen Blödsinn, Junge. Wir haben nur … es ist für das Theater im Seniorenverein. Ja! Denk dir nur, für das Theater. Onkel Kurt soll einen Kommissar spielen. Willst du nun einen Tee?»

Puh, da hatte ich die Kurve wohl gerade noch mal auf zwei Rädern gekriegt. Stefan glaubte mir das nämlich wirklich! Er lachte und versprach, zur Aufführung zu kommen. Ob wir schon einen Titel hätten für das Stück, fragte er und schlug «SOKO 4711» vor. Ein bisschen unverschämt war das ja schon, aber wissen Se, wichtig war, dass der Bengel aus der Wohnung verschwand und wir endlich in Ruhe weitermachen konnten. Was heißt weitermachen, ich wäre schon froh, wenn wir überhaupt erst einmal loslegen könnten! Ich fragte nicht noch mal, ob er einen Tee will – zweimal war wohl wirklich genug, er hatte seine Schangsen gehabt und hätte «Ja» sagen können –, und schob ihn sachte Richtung Flur. «Wer weiß, wem ich die Nachricht wegen des Eisbeins geschickt habe? Wenn ich die falsche Brille aufhabe, sehe ich das manchmal ganz schlecht», sprach ich, und Ilse, die noch gut hört, rief geistesgegenwärtig: «Mir, Renate! Ich hatte mich schon gewundert, was das soll. Wir essen doch gar kein Eisbein. Kurt darf nicht, wegen Scholesterin, und ich mache mir aus der fetten Schwarte nichts.» Ich zwinkerte Ilse zu, ach, wissen Se, das sind diese Momente, wo man merkt, auf wen man zählen kann. Ilse ist immer da, wenn es gilt, einen aus der Bredjulle …. Brillduje … aus dem Schlamassel zu retten.

«Also, übermorgen dann, Stefan. Um zwölf steht das Essen auf dem Tisch. Bitte sei pünktlich!», gab ich ihm mahnend mit auf den Weg. Wissen Se, zwar hatte ich das heute vergessen, aber wenn es darum geht, einem Unschuldigen ein schlechtes Gewissen zu machen, sind wir Frauen gut, und so was verlernt man auch im Alter nicht.

Ich drückte die Tür hinter ihm zu und dachte bei mir: «SOKO 4711! So eine Unverschämtheit!»

«Danke, Ilse», sagte ich, als ich zurück in die gute Stube kam. «Kannst immer auf mich zählen, Renate. Ich hatte nur Angst, dass der Stefan mein Händi hätte sehen wollen. Das liegt doch im Handschuhfach, für den Notfall.» Ja, das wusste ich. Da liegt es immer, seit sie es vor 22 Jahren angeschafft haben. Einmal die Woche lädt Ilse die Batterie nach, und wir fragen uns manchmal, ob die 25 Mark Guthaben, die Gläsers damals bei der Post gekauft haben, noch gut sind.

Nun, da Stefan aus dem Haus war und wir endlich Ruhe hatten, ließ ich Gertrud erst mal berichten, was das mit ihr und dem Kommissar war. Denken Se sich nur, der hatte bei ihr angeläutet und sie mit Norbert schon zweimal zum Spazierengehen getroffen, der trottelige Kerl. Reineweg verrückt war das Tier nach ihm, berichtete Gertrud und auch, dass sie den Kampfhecht beide Male dazu gebracht hatte, sie zu Kaffee und Likör einzuladen und sogar zu bezahlen. Es war mal wieder typisch Gertrud, sobald ein Kerl in der Nähe ist, vergisst die jeden Anstand.

Ich änderte meinen Plan, den ich entworfen hatte. Wir mussten den Lamprecht ja sowieso aus dem Weg haben und anderweitig beschäftigen. Der bimmelte bei Lotte an, meldete sich bei mir und flanierte sogar mit Gertrud durch den Park. Hatte der denn nichts anderes zu tun? Der sollte die Betrüger jagen und nicht uns Omas beschatten! Ich kriegte den Gedanken gar nicht aus dem Kopf, dass er und Gertrud … ICH BITTE SIE! Die Frau ist 82 und er Mitte 60. Sicher, es sind moderne Zeiten. Sollen sie alle rumpoussieren, mit wem sie wollen. Aber sie müssen aufpassen: Die Madonna adoptiert der Heidi Klump sonst noch den Kerl weg! Ich hatte auf jeden Fall den Verdacht, dass der Lamprecht sich mit ein bisschen viel Eifer um uns Omas bemühte, statt sich auf die Enkelbetrüger zu konzentrieren. Am Ende war das noch ein Heiratsschwindler? Wie oft sind die schlimmsten Verbrecher in den eigenen Reihen zu finden, das hat man doch alles schon erlebt. Wenn ein Feuerteufel umgeht und in Serie Brände legt, na, den suchen sie schon gar nicht mehr woanders als in der Feuerwehr. Mit dem Lamprecht im Schlepptau, ja, ich bitte Sie, welcher Betrüger würde sich da wohl nicht in die Büsche schlagen? So, wie der durch die Gegend lief, stand ihm auf die Stirn geschrieben: «Ich bin ein Polizist!» Nee, der Lamprecht brauchte Beschäftigung, damit der uns ein bisschen aus den Augen ließ, und diese Beschäftigung würden wir ihm verschaffen, hihi.

Ich erklärte Ilse, Kurt und Gertrud in allen Einzelheiten, was mir vorschwebte: «Dazu brauchen wir Kurt, den Koyota, ein Stückchen weiße Straßenkreide, ein bisschen roten Nagellack und eine große Tageszeitung mit einem rausgeschnittenen Guckloch. Norbert lassen wir erst mal außen vor, der ist ja nun mit dem Kommissar bekannt», sagte ich, und wir kicherten, während wir den Plan durchsprachen.

Hören Se gut zu, aber sagen Se es bitte keinem weiter. Der Plan ging so.

Dev Plan

Als wir alles durchgegangen waren, rief Gertrud: «Uhrenvergleich!» Ja, wo se den Quatsch nun wieder herhatte? Bestimmt zu viele Krimis geguckt. Ilse grub in ihrer Handtasche. Sie hat eine gute goldene Uhr, ein Erbstück ihrer Mutter, das sie in einem kleinen Säckchen runtergeschluckt hatte, als nach 45 die Russen kamen – und so rettete. Jawoll, zwei Tage später brachte sie die Uhr wohl wieder raus, aber seither ging sie nicht mehr richtig. Kein Uhrmacher hat die je wieder hingekriegt. Sie hätte es machen sollen wie Oma Strelemann mit ihrer Kamee. Die hatten wir während des Krieges in Ölpapier eingeschlagen im Garten vergraben, genau unter den schönen Hortensien. Das waren Oma Strelemanns Lieblingsblumen. Der Russe hat die nicht gefunden, und die Kamee war wie geleckt, als wir sie nach Friedensschluss wieder ausgebuddelt haben.

Ilses Uhr ist eigentlich mehr ein Schmuckstück als ein Zeitmesser, und weil sie ein Andenken an ihre Mutter ist und aus 750er-Gold, trägt Ilse sie nur an besonderen Tagen. Sie liegt in der Regel … nee, das verrate ich jetzt nicht. Am Ende lesen hier noch Einbrecher mit, steigen bei Gläsers ein und rauben Ilse und Kurt aus? Um Himmels willen, das könnte ich mir nie verzeihen, wenn die beiden Opfer eines Raubüberfalls … huch, ich bin ganz erschrocken. Nee. Man muss so aufpassen! Auch wenn man was ins Interweb schreibt. Man kann gar nicht so schlecht denken, wie andere Leute sind. Wenn ich da nun reinschreibe: «Schöne Grüße aus dem Urlaub, ich bin mit Gertrud auf dem

Kreuzfahrerdampfer unterwegs im Mittelmeer», kann das jeder lesen. Und es gibt immer auch jemanden, der einem nicht wohlgesonnen ist. Danach kommt man nach Hause, und die Wohnung ist ausgeräumt. Nee, da bin ich vorsichtig und kann Sie nur warnen. Ich lade nach den Ferien ein Bild hoch, so freuen sich trotzdem alle mit, dass der Urlaub schön gewesen ist, aber ich bin wieder da und kann den Räubern im Notfall eins mit der Pfanne über den Kopf geben. (Oder eben mit dem Schuhspanner, je nachdem. Hihi.) Ich habe eine gusseiserne von Oma Strelemann, die wird nie abgewaschen, sondern immer nur mit Entenfett ausgebrannt und mit Salz abgerieben. Wenn ich damit zuschlage, kann ich den Notarzt sparen und gleich den Bestatter rufen, das sage ich Ihnen. Und es ist Notwehr, das haben sie bei «Den Tätern auf der Spur» neulich gesagt! Dafür käme ich nicht in das Gefängnis. Da will ich nun wirklich nicht hin auf meine alten Tage, schon weil man da kein Onlein darf und Gertruds Friseuse käme, um mir die Wickler einzudrehen. (Gertrud sieht immer wie der ergraute Mischlingsrüde von Grottingers aus.)

Nee, wo war ich? Ach ja, also Ilse suchte nach der Uhr, die aber wieder stehengeblieben war und erst aufgezogen werden musste. Ilse trägt sie wie gesagt nicht, um die Zeit abzulesen. Das Zifferblatt ist nicht größer als ein Klecks Vorspeise im Sternenrestaurant. Ilse muss die Augen zusammenkneifen, um die Zeit abzulesen. Meist erkennt se gar nichts und fragt dann doch Kurt. Kurt hat immer seine Taschenuhr an der Kette dabei, obwohl Ilse schimpft, dass die Hosentaschen davon ausleiern. «Guck doch mal, Renate, die sitzen schon wieder auf halb neune», klagt sie dann.

Ich habe schon seit Jahren keine Armbanduhr mehr. Wissen Se, ich bin Rentner und lasse mich nicht hetzen. Ob es nun zwei Minuten früher oder später ist – was macht das schon, wenn man 82 Jahre alt ist? Und ob es nun Zeit ist, die Kartoffeln für das Mittagbrot aufzusetzen, entscheiden der Appetit und der Hunger und nicht die Uhr. Wenn ich eine Verabredung einzuhalten habe, gehe ich so zeitig los, dass ich pünktlich bin, ohne ständig auf die Uhr zu starren. Wer das macht, kommt sowieso zu spät! Der Bus fährt sowieso, wann er lustig ist, ich bitte Sie, da muss man nicht alle paar Sekunden auf die Uhr gucken. Davon ist der auch nicht pünktlicher. Und im Fall des Falles bin ich ja eine moderne Oma und habe mein Schmartfon immer dabei. Vorn auf dem Scheibchen ist ein Bild von der kleinen Lisbeth, wie sie die Mixerstäbe mit Schlagsahne ableckt, das hat Stefan mir eingestellt. Auf dem Bild wird in großer weißer Schrift, gut lesbar, die Uhrzeit angezeigt. Die muss man nicht aufziehen, und die geht immer richtig, wissen Se, das Händi guckt ab und an im Interweb, ob es noch stimmt. Was soll ich also mit einer Uhr?

Ilse saß bereit mit ihrem Goldschätzchen, Kurt hatte den Deckel seiner Taschenuhr aufspringen lassen, und Gertrud sprach: «Also, bei mir ist es kurz vor halb drei.» Kurt knurrte: «Kurz vor ist doch keine genaue Zeit, Pottersche. So können wir nicht ermitteln. Es muss genau! Alles muss ganz genau!» Ilse schüttelte an ihrem Goldwecker und hielt ihn ans Ohr. «Kannst du jetzt mit den Ohren besser gucken als mit den Augen?», raunzte Kurt sie an. «Sie tickt!», rief Ilse. «Sie tickt. Aber sie muss gestellt werden. Ach, Kurt, kannst du vielleicht mal …?» Herrje, das würde dauern.

Ich erwog derweil, Ilse vorzuschlagen, mit der Uhr mal zu «Bares für Rares» zu fahren und den «ollen Prügel», wie sie da immer sagen, zu verkaufen. Was soll man mit dem Ding? Der Zeiger bleibt immer stehen, und die Kinder und Enkel wollen sie nicht. So könnte man wenigstens mal den Herrn Lichter kennenlernen, der immer sagt: «Renate? Dann Binischnatürlichderhorst», und die Frau Doktor Heide. Kennen Se die? Die Elegante, die immer so schicke Blusen trägt. Wissen Se, es gibt den «Krawattenträger des Jahres» und sonst was alles, aber ich kann bis heute nicht verstehen, dass man nicht mal die «Blusenträgerin des Jahres» kürt. Das ist wohl das Mindeste! Ich würde Frau Doktor Heide sofort vorschlagen! Kirsten wollte mit mir ja auch schon zu der Sendung wegen der Vase von Oma. Die hat Schwerter untendrauf von Meißen, und Kirsten hat vorgeschlagen, dass wir sie verhökern und uns vom Erlös ein schönes Mutter-Tochter-Wochenende gönnen. Aber wissen Se, ich traue dem Frieden nicht. Ich kenne Kirsten, am Ende tauscht die mich ein, weil ich älter und rarer bin als das Porzellan. Und selbst wenn nicht, wie sähe denn so ein Wochenende aus? Ich sehe uns schon proaktiv die Muskeln entspannen und im Sitzkreis Brennnesselsuppe löffeln. Nee, nee. Die Vase bleibt vorerst in der Anbauwand. Die soll Kirsten wegen meiner dem Lichter unter den Kringelbart halten, wenn ich dereinst nicht mehr bin. Aber mit Ilse und Kurt und dem 14-karätigen Goldwecker würde ich fahren.

Wie auch immer: Wir gingen mit frisch gestellten Uhren auseinander. Der erste Schritt war getan!

Gertrud fragte den Herrn, ob das Flugzeug auch eine Hupe hat. Das brachte den so durcheinander, dass er vom Thema abließ.

Am nächsten Morgen sind wir in aller Frühe los zum ALDI. Der Markt ist ein bisschen außerhalb, müssen Se wissen. Wir waren kurz nach sieben da, es war noch fast dunkel. Die Tage wurden ja im Herbst schon merklich kürzer. Morgens wurde es spät hell, und nachmittags meist nach dem Kaffee schon wieder duster. Eine sehr unwirtliche Zeit, aber in Bälde käme ja schon der Advent, in dem die schönen Kerzen überall wieder wohlige Wärme ausstrahlen würden. Hach ja.

In diesen Morgenstunden ist der Parkplatz immer noch schön leer, und es besteht keine Gefahr für die anderen Autos, wenn Kurt den Koyota parkt. Er stellte den Wagen am Rand des Parkplatzes ab, von wo aus wir später alles gut beobachten und uns doch unauffällig vom Acker machen konnten. Ich hatte in der Handtasche alles dabei, was wir brauchten. Wissen Se, in manchen Situationen ist ein Geigenkasten einfach unhandlich. Wir stiegen aus. Mit einem Stück weißer Straßenkreide und einem Fläschchen Nagellack nahmen wir Kurs auf die noch verschlossene Eingangstür, da, wo die Einkaufswagen stehen. Ilse konnte von uns drei am besten malen und sich – trotz Knieoperation und ihren albernen Knorpelpillen aus dem Verkaufsfernsehen, hihi – auch am besten bücken. Ich legte mich rücklings auf das Pflaster vor der ALDI-Tür, und Ilse malte mit der Kreide konzertiert einen Umriss um mich. Kurt half mir hoch, ich putzte mir den Rock ab, und wir betrachteten unser Werk. Es war sehr gelungen. Nun sprenkelte ich ein paar Spritzer vom roten Nagellack in die Mitte des Kreideumrisses, ungefähr auf Brusthöhe. Man soll sich ja nicht selber loben, wissen Se, aber das sah täuschend echt aus, das muss man schon sagen. Ungefähr so:

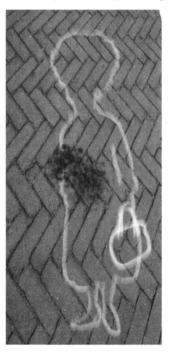

Ja, was soll ich Ihnen sagen?

Wir mussten gar nicht mehr viel machen, nur abwarten. Wir setzten uns in den Koyota und frühstückten erst mal. Ilse hatte diesmal nicht ihren Picknickkorb bei, sondern klappte Kurts Geigenkasten auf: Buletten, frischgeschmierte Stullen, hartgekochte Eier und sogar in Achtel geschnittene Tomaten kamen zum Vorschein – alles, was das Herz begehrt. Ich räumte erst mal das Tränengas beiseite, das ich Kurt mit in den Geigenkasten gelegt hatte. Nicht, dass das noch einer mit dem Kaffeeweißer verwechselte! Wenn es nach Stefan ginge, dürfte ich kein Tränengas haben. Er sagt, es wäre viel zu gefährlich. «Du bist fahrig und guckst nicht richtig, und zack!, greifst du das falsche Fläschchen und sprühst dir zwei Spritzer Tränengas statt Kölnisch Wasser hinter die Ohren, wenn dein Erwin klingelt. Ich kenn dich doch, nein, Reizgas kommt nicht in Frage. Du hast ein Händi und kannst Hilfe rufen. Und im Notfall hast du dein Parföng, das stinkt so, damit schlägst du auch jeden in die Flucht.»

Frechheit. Dabei duftet Lavendel so fein! Aber die jungen Leute haben den Hang, mich zu unterschätzen. Das ist im Grunde gar nicht verkehrt, wissen Se, dann kann man sie leichter überraschen. Ich hatte mir so ein Fläschchen einfach selbst gekauft, das musste der Junge ja gar nicht erfahren. Nun nahm ich es aber an mich, damit es hier keinen Unfall gab.

Ilse goss uns aus der Thermoskanne ein. Sie macht die gewissenhaft sauber, aus der kann man mit Appetit trinken. Das war ganz was anderes als die verbeulte Blechkanne mit Grindschicht vom Lamprecht. Wir nahmen alle unsere Tabletten ein, was ein bisschen ein Problem war. Sie kennen das bestimmt auch, die eine Sorte muss vor dem Essen nüchtern geschluckt werden, die andere Sorte «zur Mahlzeit», und die Blutdrucker brauchen eine Grundlage. Na ja, wir hatten zwar alle unsere Pillendöschen mit, aber wenn man die Tabletten einzeln rausnimmt im engen Auto … Kurt ließ seine Durchblutung fallen, eine kleine minzgrüne Kapsel, und sie rollte unter den Koyota-Sitz. Nun finden Se das Ding mal wieder. Ich will das gar nicht im Detail erzählen, ich sage Ihnen nur grob die Stichworte: Wir drei – Ilse, Kurt und ich – sind alle gut über den Achtziger drüber. Bei mir haben se vor zwei Jahren die Hüfte operiert, Ilse hat das Knie steif, und Kurt sieht weniger als ein Maulwurf. Noch dazu ist der Koyota bestimmt ein gediegener Wagen, aber mit ausgeklapptem Frühstückstisch auf der Rückbank – natürlich hatte Ilse auch eine kleine Tischdecke dabei – war es doch etwas eng. Meine linke Hand konnte ich von hinten bis mittig unter den Fahrersitz schieben, wohin Kurts Pille gerollt war, aber ich fand nur den schönen Einkaufswagenschip, den Ilse schon seit Jahren suchte, und eine Handvoll Rosinen. Das müssen die Weintrauben gewesen sein, die mir im Frühjahr unter den Sitz gekullert waren. Die waren 1a, aber wir schmissen sie trotzdem weg. Ich dachte zwar: «Das kann man doch noch essen!», erst recht, wo die Weihnachtsbäckerei nun bald ran war, aber Ilse bestand darauf. Gerade, als ich den Zettel von der Wäscherei für Ilses Winterjacke hochgeangelt hatte, fasste ich auf etwas Weiches, was lebte. Ich bin bestimmt keine schreckhafte Person, die sofort «Huuuuch» schreit, wenn sie nur einen Spritzer Wasser abkriegt, aber das war … nee, gruselig war das! Kurt juchte ebenfalls auf. Was ich da unterm Sitz ertastet hatte, war nämlich seine Hand. Er hatte sich derweil von vorne vorgearbeitet und suchte ebenfalls nach der Tablette. Ich erschrak dermaßen, dass ich hochschnellte und dabei den guten Bohnenkaffee anstieß, der sich über die Frühstücksschnitten, die Autopolster und meinen beigefarbenen Rock ergoss. Wie viel in so einer Kaffeetasse ist, sieht man ja erst, wenn man sie mal auf hellem Grund ausgekippt hat, nich wahr? Das war richtiger Kaffee, kein Kaffee Hag. Die Koyotapolster waren jetzt also auch wach.

Dann ging das Theater erst richtig los, sage ich Ihnen. Ilse wischte und rieb mit allem, was sie an Bord hatte. Das Scheibenwischtuch, ein Geschirrhandtuch, Servietten, feuchte Reinigungstücher … ich tupfte meinen Rock, so gut es ging, aus – man darf nur tupfen, um Himmels willen nicht reiben! – und schimpfte leise vor mich hin.

Kurt hatte sich beim Hochkriechen mit dem Hals im Lenkrad verfangen und stieß beim Versuch, sich zu befreien, immer wieder mit der Nase gegen die Hupe.

«Ilse! Kurt! Jetzt aber mal ganz ruhig! Keiner bewegt sich! Wir müssen die Nerven behalten. Wir fallen doch auf! Ilse, hör jetzt auf zu rubbeln, du machst die Flecken nicht besser, wenn du sie mit Kölnisch Wasser einreibst. Und Kurt, du bleibst so. Ich steige aus und helfe dir aus dem Lenkrad.»

Die Uhr ging auf halb acht, und zum Glück war noch niemand auf dem Parkplatz, der uns hätte beobachten können. Wir hätten auch gleich Norbert mitnehmen können. Nicht mal ein bellendes Kalb hätte mehr Aufsehen erregt.

Bei jedem anderen alten Herrn hätte man um den Blutdruck fürchten müssen in so einer Situation, aber nicht bei Kurt. Den bringt so schnell nichts aus der Ruhe, höchstens ein Elfmeter in der Nachspielzeit. Ilse schreibt ja jeden Tag zweimal Kurts Blutdruckwerte in ein kleines Büchlein. Einmal, in Band 23 auf Seite 87 oben, da war er ein bisschen hoch – der zweite Wert 94! – aber das war wegen Fußball im Fernsehen. Der Mann ist sozusagen lückenlos scheckheftgepflegt. Da ist nix dran. Ich öffnete die Fahrertür und fädelte Kurts Kopf durch die Lenkradspeichen wieder rückwärts raus. Er schimpfte vor sich hin, auf was er sich da eingelassen hätte, und sagte, dass er morgen wieder zu Hause frühstücken würde. Ansonsten blieb er aber ruhig.

Ilse war mit dem Fleckenverreiben so weit vorangekommen, dass die ganze Rückbank nun ockerbraun schimmerte und der Koyota roch wie ein Tschiboladen. Jeder nahm nun die ihm zugedachte Position wieder ein, und das wurde auch allerhöchste Zeit, denn draußen tat sich was.

Ein Auto fuhr vor, aus dem eine Frau stieg. Das war die Chefkassiererin, die Frau Krauspe. Die kenne ich. Die will immer kein Kleingeld. Egal wie die Summe lautet – noch ehe man überhaupt nach passend gucken kann, ruft sie: «Dankeeeeeee, es geht schoooon …», und schmeißt einem eine ganze Handvoll Münzen samt Zweimeterfuffzich-Bon in die hohle Hand. Wie oft habe ich mich darüber schon geärgert. Ich bitte Sie, so viel Zeit muss doch sein, dass man wenigstens guckt! Aber jetzt mache ich es anders. Wenn die Krauspe zum Beispiel sagt: «Das macht 32,82 Euro», dann habe ich früher einen Fünfziger gegeben und gesagt: «Warten Se mal, 2,82 Euro müsste ich klein haben. Ich gucke mal nach.» Da kam meist schon der Schrei, dass es ginge, und zack, hatte ich wieder ein Pfund Münzen in der Hand. Aber eine Renate Bergmann lernt im Alter noch dazu: Jetzt kriegt die zuerst die Münzen, und zwar langsam und in Ruhe, bis ich die 2,82 Euro beisammenhabe – und ich gucke auch auf die Rückseite, ob nicht noch eine mit Königin Beatrix drauf dabei ist, die sammele ich nämlich! –, und erst dann gebe ich ihr den Schein. Dabei wird sie immer ganz rot im Gesicht. Ob sie wohl die richtigen Blutdrucktabletten kriegt? Hihi.

Den Trick merken Se sich bitte gerne. Erst das Kleingeld geben und danach den Schein, sonst werden Se abgewimmelt. Probieren Se es mal aus! «Da kann man alt werden wie eine Kuh, man lernt im Leben immer noch dazu», hat Oma Strelemann schon immer gesagt. Und da hatte se recht.

Also, die Krauspe stieg aus ihrem Auto und kam mir ein bisschen durcheinander vor. Sie ging immer langsamer und blieb irgendwann ganz stehen, hielt sich erschrocken die Hand vor den Mund und wusste sichtbar nicht, was sie tun sollte. Ein weiteres Auto kam angefahren, aus dem zwei Kolleginnen kletterten. Ich faltete die Zeitung im Koyota auf und guckte durch das kleine Loch, das ich geschnitten hatte. Durch das Guckfenster hatte ich alles bestens im Blick, und sie konnten mich nicht sehen. Das hatte ich aus einem alten Film, so arbeitet der Detektiv. Man muss immer seine Deckung behalten, das ist die oberste Maxime in dem Geschäft! Wenn unser Plan aufging, würde hier gleich die Polizei kommen. Und der olle Lamprecht durfte mich auf gar keinen Fall erkennen.

Es ging alles ganz schnell. Die Kassiererinnen öffneten die Kaufhalle gar nicht erst, sondern eins von den Mädelchens telefonierte gleich vom Händi aus. Sie gingen ein bisschen auf Abstand zum «Tatort» und drückten sich, die waren offenbar fix und fertig. Meine Güte, was sind die alle verweichlicht! Wegen ein bisschen Kreide auf der Straße und drei Tropfen Nagellack. Man kann es aber auch übertreiben! «Die haben eben alle keine Lazaretterfahrung», kommentierte Kurt kopfschüttelnd. Jaja, ich sage es ja.

Derweil scharrte sich ein gutes Dutzend Kunden um unsere schöne Kreidezeichnung, die Uhr ging schließlich auf acht, und der Markt hätte öffnen sollen. Die Krauspe weinte und erklärte wohl, dass unter diesen

Umständen heute geschlossen bliebe. Jedenfalls trollten sich die, die keine Schaulustigen waren. Also zwei. Die Polizei kam mit Tatütata, gleich mit drei Autos, denken Se sich das nur! Da wurde mir auch ein bisschen mulmig. Aber die konnten uns im Fall des Falles gar nichts, wir hatten nur mit Kreide was gemalt. Gertrud und ich haben schon als Mädchen immer Hickelkasten gespielt. Kennen Se das noch? «Himmel und Hölle», sagen manche dazu. Das waren Zeiten, da waren wir Kinder noch draußen und haben gespielt, bis es dunkel wurde … ach, schön war es. Wir hatten aufgeschlagene Knie und immer einen Dreiangel in den Rock gerissen, weil wir wie die Derwische über jeden Zaun und auf jeden Baum geklettert sind. Nach Hause sind wir erst gegangen, wenn Mutter die Straße runter schrie, dass es jetzt Abendbrot gibt. Nicht mal der Hauswart aus Gertruds Mietskaserne konnte uns hindern seinerzeit. Geschimpft und gebrüllt hat er, aber wozu die Aufregung? Ein Regenschauer, und der Hickelkasten war wieder weg, meine Güte! Es gab ja keine Flimmerkiste, vor der wir hätten sitzen können. Sonnabends haben wir nach dem Baden MANCHMAL (!) eine halbe Stunde «Ein bunter Kessel Tanzmusik» gehört, aber auch nur, wenn ich die Woche über keine Dämlichkeiten angestellt hatte. Ein neuer Dreiangel im guten Rock, und schon hatte ich schlechte Karten. Da können Se sich ja denken, dass ich ganz schnell Handarbeiten lernte, schon, damit ich Rudi Schuricke im Rundfunk nicht verpasste. Ach, es waren harte, aber auch schöne Zeiten. Aber ich verplappere mich schon wieder, Sie wollen ja bestimmt wissen, wie es weitergeht, und nicht einer ollen Frau untergehakt beim Spaziergang durch ihre Erinnerungen folgen …

Nee, die konnten uns ü-ber-haupt nichts, wenn es hart auf hart käme wegen der Kreidemalerei.

Die Polizisten stellten sich alle im Kreis um unsere schöne Leichenskizze und beratschlagten. Manche kratzten sich am Kopf, ein paar telefonierten, und es wurde fotografiert. Zwei junge Männer liefen zum Streifenwagen und holten rotweißes Absperrband. Ich lugte ganz vorsichtig durch das Guckfensterchen in meiner Morgendepesche und konnte sehen, wie der Kommissar Lamprecht sich schwerfällig aus einem der Einsatzwagen hievte. (Vielleicht hatte Gertrud recht, und unsere Wassergymnastik täte ihm gar nicht schlecht. Vertragen konnte er sie allemal.)

HA! Mein Plan war aufgegangen! Der hatte hier zu tun und konnte uns nicht beschatten, wie das Fräulein Vorgesetzte ihm geheißen hatte. Von sich aus hätte der sich doch im Leben nicht so um ein paar alte Tanten bemüht. Aber so was wie hier hatten die offenbar nicht jeden Morgen, sonst wären sie wohl nicht mit Mann und Maus zum «Tatort» geeilt. Ich wählte zur Sicherheit (mit Nummernverschleierung!) die Durchwahl vom Kommissariat. Da lief die Anrufbeantwortungsmaschine. Die hatten nicht mal einen für den Telefondienst auf der Dienststube zurückbehalten. Gute Güte, nun wurde es mir aber doch ein bisschen mulmig. Es war höchste Zeit, von hier zu verschwinden. Nicht nur, damit es keinen Ärger gab, nein, schließlich war das hier nur die Vorbereitung für meinen eigentlichen Plan. Bisher war aber alles wunderbar gelungen und aufgegangen.

«Kurt, lass den Wagen an. Langsam und unauffällig zu mir nach Hause!», kommandierte ich. Als wir vom Parkplatz runterfuhren und die Gefahr gebannt war, dass mich der Lamprecht hätte erkennen können, faltete ich die Zeitung zusammen. Da war eine Annonce für Doppelkorn, der kostete die Woche nur 4,99 Euro … aber dafür war jetzt keine Zeit, das musste warten!

Zwei Tage später ging ich mit Lotte aufs Kommissariat, die Fliegen auf der Brotbüchse und den Lamprecht besuchen. Er war fürchterlich beschäftigt und hatte nur ganz wenig Zeit. Das war genau, was ich hatte erreichen wollen! Quasi zwischen Tür und Angel berichtete er uns unter dem Siegel der Verschwiegenheit, dass er an einem ganz großen Fall arbeitete. Vor ein paar Tagen wäre die jungsche Kommissarscheffin am frühen Morgen in die Dienststelle geplatzt und hätte angeordnet, dass ALLE mitmüssten, sie hätten einen Einsatz, wie sie ihn in ihrer jungen Karriere noch nicht erlebt hat. Den Lamprecht konnte se mit so was natürlich nicht vom Hocker scheuchen, der hatte in fast 40 Dienstjahren schon ganz andere Fälle auf dem Tisch gehabt. Das heißt nicht, dass er sie gelöst hat, aber er war eben immer dabei. Sie kennen das ja, in den Behörden – ganz gleich, ob Kripo oder Bauamt – haben sie es mit Leuten zu tun, die aufgrund ihres Alters und nach Dienstjahren befördert werden. Die sitzen sich sozusagen nach oben. Wenn sie es nicht allzu dumm anstellen, geht das so lange gut, bis sie irgendwann mit all ihren Aufgaben komplett überfordert sind. So einer war der Lamprecht. Bestimmt war der als junger Polizist ganz tauglich und hat prima Strafzettel aufgeschrieben, aber so einer brauchte immer Anleitung. Alleine konnten se den nichts machen lassen. Im Grunde war es mit ihm wie mit Ariane im Haushalt: Wenn man dabeisteht und ihr sagt, wie sie es machen soll, stellt sie sich gar nicht so dumm an, aber wenn man sie alleine machen lässt, fahren doch um halb 2 alle gemeinsam zu MäcDonald, um Hühnerflügel in Obsttunke zu essen, weil sie das Frikassee hat anbrennen lassen und der Reis klumpig war, statt dass er locker von der Gabel rann wie im Reklamefernsehen beim Onkel von Ben. Der Lamprecht war so einer, der die Leiche vom Tatort ordentlich wegfahren lässt. Aber dass im Nebenzimmer noch ein Toter liegt, das kriegt der nicht mit. Das muss man ihm erst sagen. Gleichzeitig war er bauernschlau und konnte deswegen gut verbergen, dass er auch ein bisschen trottelig war.

Ich habe das schnell durchschaut. Wenn er überhaupt keine Ahnung von einem Thema hatte, nahm er seine Brille ab, kaute ein bisschen auf dem Bügel rum, spitzte die Lippen und murmelte: «Schwierig, schwierig, aber wir werden einen Weg finden.» Dann kritzelte er was auf seinen Notizblock, und das Thema war erst mal erledigt. Da hat man nicht mehr groß nachgefragt, und wenn doch, kaute er auf dem anderen Bügel und sagte: «Die Kollegen arbeiten fieberhaft daran, Frau Bergmann, aber ich darf aus ermittlungstaktischen Gründen nichts weiter dazu sagen.» Das war natürlich absoluter Blödsinn. Ich weiß es genau. Ich habe nämlich den Notizblock inspiziert, den der olle Schussel auf seinem Schreibtisch hatte liegenlassen, als er austreten war. Da konnte ich unauffällig einen Blick (nein, ich habe nicht spioniert! Dass Sie mir immer so unanständige Dinge unterstellen …) darauf werfen. Der hatte da nur stehen «6 Bier» und «Butter ist alle» oder auch «Rasierklingen kaufen», «Winterreifen wechseln». Was ein alleinstehender Herr eben so schreibt.

Und einmal «Blumen Gertrud».

Ich habe gerade in meinen Emil-Abfall geguckt. Eine gewisse Lisa sorgt sich um meinen Augenaufschlag und empfiehlt mir Wimperntusche für 80 Euro. Nun weiß ich auch nicht.

Nun, wo die Polizei uns nicht mehr so auf dem Kieker hatte, musste ich Teil zwei meines Planes zünden: Ich musste es irgendwie schaffen, die Omasbeschupser wieder auf mich aufmerksam zu machen. Schließlich muss der Fisch anbeißen, damit man ihn angeln kann, nicht wahr?

Lotte Lautenschläger hatte mir ihre Geschichte so oft erzählt, dass ich manchmal bald glaubte, ich hätte das alles selbst erlebt. Ich wusste also ganz genau, wo die Schwachstelle war. Lotte hatte ein paar Tage vor dem Vorfall einen größeren Betrag vom Sparbuch abgeholt. Da war doch kein Zufall! Das kann mir keiner erzählen! Ich konnte mir das schon vorstellen: Die Ganoven lungern vor der Sparkasse rum und passen auf, ob eine Oma da mit auffällig viel Geld und dicker Tasche rauskommt. Den Leuten auf der Bank viel zu erklären, würde nur wieder neue Fragen heraufbeschwören, deshalb griff ich zu einer List: Man muss sich immer an den Dusseligsten im ganzen System wenden, so kommt man am weitesten. In diesem Fall war das Grete Baumann. Ich wohne nun schon so lange in Spandau, dass ich ziemlich jeden kenne, den man kennen muss. Grete Baumann von der Sparkasse ist im ganzen Kiez ja nur als Knete-Grete bekannt. Ich habe Grete schon als kleines Mädchen im Wagen gefahren. Bankgeheimnis hin oder her, wenn man jemanden von Kindesbeinen an kennt, kommt man immer an die Informationen, die man braucht.

«Grete», sach ich also zu ihr, «Grete, stell keine Fragen. Es ist kein Überfall und nichts Schlimmes, wir wollen nur ein paar Verbrechern das Handwerk legen. Du musst nur mitmachen und mich in den Reiche-Leute-Raum führen.» Sie haben ein extra Zimmer, wo sie die Kunden, die etwas mehr Geld abheben als das bisschen Rente, reinführen. Aus Sicherheitsgründen, damit keiner mitzählen kann, wissen Se. Ich nenne es immer das Reiche-Leute-Zimmer. Als das damals mit meinen Aktien war, saß ich da auch. Ich sprach sehr leise, und Grete guckte wie eine Kuh vorm Zaun. «Ich gebe dir jetzt das Sparbuch. Das klappst du auf und sagst: ‹20 000 in bar, selbstverständlich, Frau Bergmann.›»

Grete war nicht die Hellste, deshalb musste ich es wiederholen. «Sag es einfach!», zischte ich. Eine Renate Bergmann kann sehr entschieden sein, wenn es um Leben, Tod oder Geld geht!

«In bar. 20 000 Euro, sehr gern, Frau Bergmann. Kommen Sie bitte mit in die Diskretionszone.»

Dort angekommen, dankte ich ihr – nun wieder so freundlich, wie ich meist war –, dass sie das Spiel mitmachte. Ich packte ein Bündel geschnittener Zeitungsreste aus und legte es vor uns auf den Tisch. «Grete, das ist doch ungefähr so viel wie 20000, oder? Ich kann dir das jetzt nicht lang und breit erklären, aber mach dir mal keine Sorgen. Wir sind Enkeltrickbetrügern auf der Spur.» – «Ach, Frau Bergmann, auf was für ein Abenteuer haben Sie sich denn da wieder eingelassen? Wischt die Frau Potter deshalb draußen den Staub vom Gummibaum? Seien Sie bloß vorsichtig! Ist die Polizei informiert?»

«Aber selbstverständlich, Grete, mein Mädchen», flunkerte ich.

Die Jugend von heute, nee. Wissen Se, denen ist so schnell bange, die trauen sich rein gar nichts mehr. Sie springen an einem Gummiseil vom Kran, das ja, aber wehe, sie sollen mal Zivilcourage zeigen. Dann kneifen se und ziehen den Schwanz ein. Alles Jammerlappen! Obwohl, wenn ich es recht überlege, ging Grete stramm auf die 60 zu. Ein leichter Grauschleier lag schon über ihrem Haar. Ja, die Zeit vergeht! Aber wie dem auch sei, aus meinem Blickwinkel ist sie ein jungsches Ding.

«Wir gehen jetzt raus, damit es nicht verdächtig wird. Du sagst am besten gar nichts mehr, sonst fällt das nur auf. Lass mich nur machen. Und wenn die nicht drauf anspringen, komme ich ab morgen jeden Tag, und wir machen das Gleiche noch mal», fuhr ich fort.

Ich trat aus der Dissi… Desi… Diskretionszone in die Vorhalle und steckte den Umschlag mit den Zeitungsschnipseln gut sichtbar in meine Handtasche. «Man muss ja vorsichtig sein mit so viel Geld, 20000 Euro! Das ist mein ganzes Erspartes!», sagte ich so laut zu Knete-Grete, dass es wirklich jeder gehört haben musste. Ich schaute mich um. Hier drinnen in der Schalterhalle war niemand, der mir verdächtig vorkam, aber man weiß ja nie. Da kann man noch so viele Krimis gucken, am Ende sind die Verbrecher doch so geschickt getarnt, dass man sie vielleicht nicht erkennt. Vielleicht lauerten sie auch draußen? Der Wind pfiff ungemütlich, als ich auf die Straße trat. Der Herbst war da, da biss die Maus keinen Faden ab. Die letzten bunt gefärbten Blätter tanzten einen langsamen Walzer durch den Wind und landeten im Matsch auf der Straße, fast so wie Richard Trenkert beim Rosenmontagsball.

Ich gab Gertrud einen Wink, und sie ließ schlagartig vom Gummibaum ab. Die Gute hatte der Pflanze, derweil ich im Diskret-Raum war, laut und deutlich erzählt, dass ich das Sparbuch leerräume und alles Geld nach Hause hole, was ich habe. Schließlich gäbe es keine Zinsen mehr und die Bänkler wären sowieso alles Halunken und so Zeug, wir hatten das genau abgestimmt.

Gertrud und ich schlenderten nach Hause, es war ein Weg von gut einer Viertelstunde. Niemand folgte uns! Na, man konnte nicht erwarten, dass es gleich am ersten Tag klappte, die Betrüger haben ja noch mehr Banken im Auge zu behalten oder gönnten sich auch mal einen freien Tag. Das Geld dafür haben sie ja!

Zu Hause war vielleicht was los, ich schwöre Ihnen, mich traf fast der Schlag! Offensichtlich hatte die Berbersche, meine Nachbarin, schweren Liebeskummer. Ich bin nun bestimmt kritisch, was diese Dame angeht. Im Haus kann se nichts, kochen tut sie, dass der Verzehr ihrer Speisen immer eine Gefahr für Leib und Leben ist. Wir haben zum Glück seit ein paar Jahren Rauchmelder in jeder Wohnung, der Vermieter hat das einbauen lassen. Mein Sanitätskästchen ist immer mit frischem Verbandszeug bestückt, und das ist richtig so. Selbst wenn die Berber nur eine Büchse aufmacht, kann das ein Blutbad geben. Und in Sachen Männer legt die eine Moral an den Tag, na, also, da kann ich hier gar nicht alles aufschreiben. Die Schamesröte würde Ihnen ins Gesicht steigen, sage ich Ihnen, jawoll, die Schamesröte!

Trotz all ihrer Fehler ist sie mir über die Jahre ein bisschen ans Herz gewachsen, das muss ich schon sagen. Mir gefällt, dass sie sich nichts bieten lässt und den Leuten lieber einen frechen Konter gibt, statt zu duckmäusern. Und ich finde gut, wie sie zu ihren Pfunden steht und sich nicht vorschreiben lässt, dass man nur schön ist, wenn man wie klappriges Knochengestell rumläuft. Sie sagt, das ist kein Fett, das ist Bonusmaterial für die Männer, die sich trauen, ihr den BH auszuziehen. Dafür ist sie mir sympathisch! Diese dürren Zicken dagegen, nee! Wissen Se, man sollte nicht zu kräftig sein, das ist ungesund. Aber eine Kurve hier und da macht eine Frau doch erst zur Frau.

Na ja, aber nun will ich nicht zu milde mit ihr sein. Sie hat auch genug Fehler. Diese Person hat eine Stimme, mit der sie es mit einem ganzen Stall voller Puten aufnehmen kann, auch wenn sie nur «Guten Morgen» sagt.

Mit dem Pizzafahrer hat sie für ihre Verhältnisse schon ein recht langes Techtelmechtel, das sagte ich ja. Ich rechnete in Bälde mit einer offiziellen Verlobung oder zumindest damit, dass der Herr bei ihr einzog. Na, das gäbe was!

Heute kam es jedoch offenbar zum Drama. Soweit ich das verstand, hatte der Pizzafahrer ihr nämlich Salat statt eine Pizza mit zweimal Käse mitgebracht.

Das hatte die Berber wohl so gedeutet, dass er ihr damit «Du bist zu fett» sagen wollte. So jedenfalls brüllte sie es ihm nach, als sie seine Sachen vom Balkon warf. Erst die Schuhe, später Hemden, Duschbad und all so Zeuch, das sie in ihrer Raserei zu fassen bekam. Ich wartete erst ein paar Minuten ab, ob nicht noch das Sofa aus dem Fenster kam, aber dann war oben alles wieder stille. Wissen Se, wenn es ein Erdbeben gibt, kann man ja nicht gleich wieder ins Haus, da muss man die Nachbeben abwarten. Es kam aber nichts mehr hinterher.

Der Pizzabote war über alle Berge. Hinter der Gardine konnte ich das ängstliche Gesicht vom Herrn Alex sehen. Herr Alex ist ein Student, der jetzt oben bei uns im Haus wohnt und da WG macht. Merken Se sich den Namen einfach mal, ich schreibe Ihnen später noch was zu ihm auf, jetzt passt das nicht so. Ich bin gleich hoch zu dem, der hatte bestimmt was gesehen. Und jawoll, ich hatte recht, der ist vom Geschrei hochgeschreckt und gucken gegangen. Es hatte sogar Handgemenge gegeben, denken Se nur. (Die Berber kann nämlich Judo.) Ich beruhigte den Herrn Alex und wandte mich wieder Gertrud zu, die sich schon um die Hinterlassenschaften in der Hecke kümmerte. Da waren gute Sachen dabei, warum sollten die denn im Liguster verkommen? Die Kältehilfe freut sich immer über festes Schuhwerk für die Obdachlosen. Ich fand auch ein paar Plüschhäschenhandschellen, die in den Zweigen hingen, und konnte mir beim besten Willen nicht vorstellen, wozu die waren und was die Berber und der Pizzafahrer damit vorgehabt hatten. Ich nahm sie erst mal an mich. Die kämen später in Kurts Geigenkasten. Ich würde früher oder später schon jemanden treffen, der mir die Sache erklären konnte. Man muss manchmal nur auf den richtigen Zeitpunkt warten.

Ja, was soll ich Ihnen sagen – die nächsten zwei Wochen passierte in Sachen Enkelbeschupser nicht wirklich was. Jeden Nachmittag machte ich mich im Geleit von Gertrud und dem Hund auf den Weg zur Bank. Die kam gern mit, bei unseren Spaziergängen zur Sparkasse hatte sie ihren Spaß. Sie fragte jeden, vorzugsweise jeden älteren Herrn, der uns entgegenkam, wo er wohl gestern Abend gewesen war. Sie hätten das sehen sollen, sie zückte immer ganz kurz ihre Bonuskarte vom Bäcker und murmelte wichtig und konspirativ: «Kommissarin Potter, verdeckte Ermittlungen.» Danach zog sie das Kärtchen gleich wieder weg, damit der gar keine Schangse zum Gucken hatte, und deutete mit dem Zeigefinger vor den Mund. Sie zog den Herrn mit einem sicheren Griff ein bisschen dichter zu sich ran. Von da an flüsterte sie nur noch und ließ sich erzählen, wie sein Abend gewesen war.

Das war überhaupt nicht wichtig für unsere Ermittlungen. Es hatte gar keinen Sinn, wildfremde Leute anzusprechen und Aufmerksamkeit zu erregen! Gertrud vermasselte mir noch alles mit dem Quatsch. Das verstand ich nicht.

«Gertrud, warum zum Kuckuck fragst du die Leute, was sie gestern Abend gemacht haben? Das spielt überhaupt keine Rolle, die Anrufe kommen doch vormittags!»

Sie grinste verschmitzt.

«Renate. Du bist aber auch völlig aus der Übung, was das Flirten angeht! Wenn ich einen Herrn frage, was er gestern Abend gemacht hat, und er erzählt mir was von Fernsehen mit seiner Frau, weiß ich gleich Bescheid. Dann muss ich mich nicht weiter bemühen. Aber wenn er sagt, dass er allein noch einen Spaziergang gemacht hat, na, den merke ich mir! Zumal in der Wohngegend hier! Und guck ihn dir doch mal an! Der hat Zähne für mindestens 5000 Euro im Mund.»

Gertrud nahm unsere Ermittlungen ernst, jawoll. Da konnte man nicht meckern. Aber sie guckt auch, dass sie das Angenehme mit dem Nützlichen verknüpft.

Nee, Gertrud kam gern mit. Wissen Se, sie muss sowieso raus mit dem Hund, der braucht seinen Auslauf. Und sie hat ja Zeit. Kochen tut se nicht selbst, und sie hat keinen Onlein, mit dem sie sich die Zeit verschlagen könnte. Keinen Fäßbock, keinen Twitter, nix, nur ein Händi, mit dem sie im Notfall eine SM-Nachricht schickt. Gertrud sagt, alles, was sie wissen muss, kommt in den Nachrichten, oder sie erfährt es beim Spaziergang mit Norbert. Da trifft se immer viele Damen und Herren, die auch mit ihren Hunden gehen und sie über alles, was im Kiez vor sich geht, auf dem Laufenden halten. Es war schon richtig, dass sie den Hund angeschafft hat, obwohl ich seinerzeit entschieden dagegen war. Ich bitte Sie, man ruft doch nicht einfach im Fernsehen an, nur weil ein Welpe herzzerreißend fiept! Und noch dazu Norbert, dieses große, ungestüme Tier! Er frisst ihr das halbe Monatsbüdschee weg, sage ich Ihnen. Zwei große Büchsen Gulasch verputzt der am Tag und Leckerli noch dazu. Das geht richtig ins Geld! Kindergeld gibt es ja nicht für den Hund, wir haben uns erkundigt beim Amt. Aber Gertrud hat eine gute Rente und lebt bescheiden, da geht das schon. Trotzdem hätte es ein zwei Nummern kleinerer Hund genauso getan. So ein Zugluftstopper, wissen Se. «Trethupe», wie Stefan, der Lümmel, immer sagt. Der erfüllt den gleichen Zweck: Man muss mit ihm raus und ist gezwungen, zweimal am Tag an die frische Luft zu gehen. Und er kläfft die Leute an. Nur frisst er weniger, und man fällt nicht um und liegt im Gras, wenn er einen anspringt. Aber sei es, wie es ist – nun hat sie den Norbert und kommt halbwegs mit ihm zurecht. Auch wenn nicht Gertrud entscheidet, ob es links- oder rechtsrum geht, sondern Norbert. Er zerrt sie in Hinterhöfe, nee, ich sage Ihnen, da hätte ich Angst! Aber sie kommt gut rum und lernt überall neue Menschen kennen. Hundebesitzer sind ja wie die Raucher. Die ersten paar Male nicken sie sich nur zu, wenn sie sich auf der Gassirunde sehen, aber irgendwann, wenn die Hundchen sich am Hintern schnuppern, fangen sie an zu reden. Gertrud hat so auch die alte Frau Brezel kennengelernt, die aus dem Vogtland stammt und deren Tochter mir tatsächlich Ersatzbirnchen für den schönen Schwibbogen besorgen konnte, nach denen ich mir schon die Hacken blutig gelaufen hatte. Ich habe ein Dankeschön zurückgeschickt. Sie wissen doch – über Topflappen freut sich ja jeder!

Norbert macht auf jeden Fall Eindruck. Das war aus Sicherheitsgründen gar nicht schlecht. Wissen Se, Plan hin oder her, aber es kann ja doch mal was schiefgehen. Ich grübelte jeden Abend. Denken Se nicht, ich hätte nicht auch ein bisschen Angst gehabt! Was, wenn uns nun nicht die Profis von der Enkelbande beobachteten, die am Telefon tricksen, sondern ein ordinärer Taschendieb uns eins auf den Hinterkopf gab? Immerhin machte ich mit großem Tamtam laut darauf aufmerksam, dass ich angeblich 20 000 Euro in der Handtasche mit mir trug. Kirsten hätte mich auf der Stelle in «Haus Abendsonne» einweisen lassen, wüsste sie, was ihre Mutter in Berlin macht. Ja, da war Norbert ein guter Begleiter und Schutzhund.

Gertrud und ich sprachen in der Bank jeden Tag laut darüber, dass Norberts Großvater früher bei den Grenzern gewesen ist und ein hochdekorierter Stasischäferhund war und dass ein Bruder von Norbert als Drogenspürhund schon zwei Tonnen Kokain am Flughafen erschnüffelt hat. Ein bisschen Abschreckung konnte nicht schaden, denn der Hund ist als Wachhund komplett ungeeignet. Norbert freut sich über jeden Fremden wie ein kleiner Welpe, leckt ihm die Finger und pullert vor Freude ein bisschen auf den Teppich. Er taugt auch als Spürhund nichts. Wissen Se, Gertrud ist, was Parföng betrifft, nicht die Dezenteste. Ich mache nur zwei «Pffft» hinter das Ohr, das genügt. Gertrud ist eher der Typ Frau, der gern in einer Wolke duscht. Norberts Geruchsnerven sind also auf Lavendel, Maiglöckchen und höchstens noch Pansen, Kutteln und Puffreisschokolade geprägt. Was anderes riecht der gar nicht.

Ja, so spazierte ich jeden Tag mit Gertrud und Norbert zur Sparkasse, ließ mich mit großem Auftritt von Knete-Grete in den Reiche-Leute-Raum führen und winkte Gertrud nach ein paar Minuten mit dem braunen Papierscheinumschlag. Wie eine Theaterdiva posaunte ich durch die Schalterhalle, dass ich die 20 000 nun hätte und wir nach Hause könnten, aber irgendwie sprang keiner darauf an. Wir mussten weiter Geduld haben und legten den Köder jeden Tag frisch aus. Wenn man eine Maus fangen will, muss man den Speck auch jeden Tag mit einem Streichholz frisch anräuchern, damit er fein duftet. «Letztlich sind diese Gängster nicht anders als Mäuse, Gertrud», tröstete ich meine Freundin, die langsam die Geduld verlor, «die beißen erst vom Köder ab, wenn sie sich in Sicherheit wähnen. Aber dann schnappt die Falle zu!» Ganz sicher war ich mir, dass die mir früher oder später auf den Leim gingen.

Nach einer Woche wechselten wir ein bisschen mit den Zeiten, zu denen wir auf die Bank marschierten. Vielleicht hatten wir ja einen Fehler gemacht und waren immer genau da, wenn bei der Betrügermafia gerade Schichtwechsel war?

Von Seiten der Polizei kam gar nichts mehr. Der Lamprecht rief nicht mal mehr an. An der Front hatten wir Ruhe. Gertrud traf sich noch ein, zwei Mal mit ihm zum Kaffeetrinken, aber dann ließ das nach. Er musste absagen wegen Überstunden, hihi, und ich redete Gertrud auch ins Gewissen. Sie hat mit Gunter Herbst nun weiß Gott keinen Traummann an ihrer Seite, aber doch einen treuen und verlässlichen Gefährten. Da lässt man sich von keinem anderen Herrn zum Damengedeck einladen, schon gar nicht am helllichten Tag. Aber auf dem Ohr war sie taub. Wissen Se, was die Moral angeht, ist sie fast so lose wie die Berber.

Als wir ihn im Parkcafé mit Cornelia Schlode, der

Kindergärtnerin und Chorleiterin, sitzen sahen, war meine Gertrud aber wütend, kann ich Ihnen sagen! «So ein gockelnder Weiberheld, guck ihn dir an! Mir erst den Hof machen, und dann schäkert er mit diesem Weibsbild rum.» Sie redete sich richtiggehend in Rage und sagte unfeine Worte, die ich hier nicht aufschreiben kann. Wissen Se, wenn Gertrud sich in einen Kerl verguckt hat, vergisst sie jegliche Reste ihrer ohnehin schon nicht sehr feinen Kinderstube. «Jetzt ist es auch egal», sprach sie und stampfte auf den Lamprecht und die Frau Schlode zu. Ihr Gehstock bohrte sich so bedrohlich in den Kiesweg, dass man fast eine Gänsehaut bekam. «Hubert, deinen Schlafanzug und die Tabletten hänge ich dir an die Klinke. Du brauchst nicht klingeln.» Sie bohrte ihren Stock noch aus Versehen auf seinen ollen Wildledermokkassin. Er verzog das Gesicht, der olle Teigarm. Ein Mann von Format hätte nicht «Aua» gesagt.

Und die Schlode ist ja mit dem Herrn Pfarrer … nun, sagen wir, eng befreundet. Was da genau los ist – da hüllen die sich in Schweigen, und man kann nur mutmaßen. Davor hat der Pfaffe allerdings in seiner Predigt neulich gewarnt, und deshalb halte ich meinen Mund. Der Laubhecht … Lamprecht hatte sich mit der Frau Schlode übrigens nur getroffen, um das Chorprogramm für das Polizeifest zu besprechen und ob man «Ich stehe am Fahrdamm, da braust der Verkehr» zu Gehör bringen kann. Mir spielte das allerdings nur in die Karten, dass Gertrud das Techtelmechtel mit dem

Kommissar an Ort und Stelle beendete. Ich bitte Sie, der arme Gunter Herbst! Das hat der nicht verdient.

Gertrud hat ja kein Interweb, und sie braucht es nicht. Ein Spaziergang durch den Kiez, und sie weiß mehr, als wenn andere zwei Stunden beim Fäßbock stöbern. Man muss es immer abwägen, der Onlein ist manchmal nicht nur eine Hilfe, nein, er birgt auch Gefahren. Bei der Partnersuche zum Beispiel. Was meinen Se, wie der Ottlieb Füchsle da übers Ohr gehauen wurde! Einsamkeit ist ein großes Problem in unserer Zeit, nicht nur bei den Alten. Wenn Se mich fragen, hat das Interweb daran viel Schuld. Die Leute gaukeln sich alle vor, sie hätten Freunde, weil sie sich alle paar Wochen mal ein Bild von einem knuddeligen Kätzchen schicken beim Fäßbock, aber letztlich sitzen sie allein vorm Fernseher, fotografieren ihr Abendbrot und tun so, als hätten sie ein schönes Leben. Aber das nur am Rande, ich wollte ja vom ollen Füchslein erzählen. Der hat im Onlein eine Frau kennengelernt aus Russland, denken Se sich das nur. Es ist im Grunde nichts dagegen zu sagen, dass er sich neu verheiratet, seine Martha war da schon zwei Jahre im Familiengrab. Männer alleine verlottern, die kommen doch nicht zurecht! Aber statt dass er mit uns auf Busfahrt geht oder zum Rentnerfasching, wo man immer auf Witwen trifft, suchte der im Computer. Ganz stolz hat er uns seine Aljona gezeigt. Eine schlanke, rassige Maschine war das, du liebe Güte. «Der bist du doch gar nicht gewachsen, Ottlieb», warnte ich ihn noch. Die war höchstens 40, und Ottlieb ging auf die 80, ich bitte Sie. Das macht doch der Kreislauf auf Dauer nicht mit! Aber der war nicht davon abzubringen. Er war ein kluger Mann und hatte als Steuerberater ein ordentliches Vermögen auf die Seite gebracht, so einer lässt sich von einer pensionierten Reichsbahnerin nicht in seine Angelegenheiten reden. Erst recht nicht, wenn Resthormone im Spiel sind. Sie wissen ja, wie Männer sind, sie denken mit der Hose, und wenn so ein Luder mit roter Mähne Fotos schickt, hören die den russischen Akzent und sehen sie mit den Augen klappern. Na, da zückte der Ottlieb eben das Portemonnaie. Sie schrieben sich Briefe und schickten Bilder, und nach und nach hatte sich die Dame unsterblich verliebt. Man wurde sich sehr schnell einig, dass die Aljona nach Berlin kommen sollte, um ein bisschen beim Ottlieb Probe zu wohnen, und dann wollte er sie ehelichen. Die ganze Nachbarschaft schaute besorgt zu und warnte auch, aber Sie wissen bestimmt, wie das ist: Wenn die Gefühle erst mal in Wallung sind, gibt es kein Zurück. Ottlieb Füchsle schickte erst Geld für das Flugbillett, dann für das Visum, für neue Koffer und was weiß ich noch alles. Schließlich gab es Probleme mit dem Visum, und die Dame brauchte neues Geld für einen neuen Flug. So ging das immer weiter, bis dahin, dass ihr Geschiedener eine Art «Ablöse» für sie wollte wie für einen Fußballer. Ottlieb schickte Geld, wieder und wieder. Bis heute weiß ich nicht, wie viel er letztlich gezahlt hat, nicht mal Knete-Grete sagt da was, aber es muss eine ordentliche Summe gewesen sein. Erst als Ottlieb mit einem großen Rosenstrauß auf dem Flughafen stand und statt einer rothaarigen Rassegranate nur glatzköpfige Männer in Lederjacken und ein paar Mütterlein mit Goldzähnen und Gans unterm Arm aus Sankt Petersburg ankamen, dämmerte es ihm, dass er wohl geleimt worden war. Er ist zur Polizei, jawoll, aber … jetzt, wo ich den Lamprecht kenne, konnte ich sogar verstehen, dass da nichts kam. Ottlieb zog sich aus Scham noch mehr zurück ins Private. Der fasste nie wieder einen Computer an. Füchslein wurde im nächsten Frühjahr noch mal fuchsteufelswild, als das Finanzamt ihm das Ganze nicht als «vergebliche Werbungskosten» anerkannt hat.

Nachdem Gertrud von der Geschichte gehört hatte, lag se mir in den Ohren, dass wir auch mal im Interweb nach Herren suchen sollten. Sie war nun neugierig geworden, und da ich die beste Freundin wäre (jaja, wenn se was will, erinnert sie sich immer daran!), müsste ich ihr helfen.

Gertrud und die Männer, das ist eine nicht endende Geschichte, das ahnen Sie wohl schon. Sie ist mein Jahrgang, da sollte man doch wohl glauben, sie hätte mit dem Thema abgeschlossen. Erst recht, wo sie Gunter Herbst hat. Und der reicht ihr nicht? Ich bitte Sie, was kann man denn von einem Kerl über 80 erwarten? Selbst der Herr Redford nimmt sicher was ein für den Blutdruck. Gertrud will den Gunter aber ums Verderben nicht heiraten, fragen Se mich nicht, warum.

Auf Gertrud musste ich immer schon aufpassen, mein ganzes Leben lang. Gertrud kann man nicht gut alleine losziehen lassen, dann macht se nur Dämlichkeiten. Sie schnappt sich die Witwer aus den Traueranzeigen und macht mit denen Busfahrten. Mit Hilmar Fichte ist sie drei Wochen nach der Beisetzung seiner Käthe auf Kaffeefahrt gegangen, denken Se sich das mal. Schamlos. In meinen Augen ist das schamlos! Norbert hat sie bei Gunter abgegeben. Der saß mit dem Hund beim Fernsehen und die beiden teilten sich eine Tafel Puffreisschokolade, während Frauchen mit dem Fichtenwitwer im Reisebus zu Andrea Berg schunkelte. Wenn es wenigstens Helene Fischer gewesen wäre!

Wissen Se, ich kenn mich mit dem Interweb ein bisschen aus, ja, aber doch nicht mit solchen Seiten! Erst mal tippte ich bei Gockel «Mann für ältere Dame 82 Jahre» ein. Da kamen nur gruselige Meldungen, was Männer mit alten Damen so alles angestellt haben, ich sage Ihnen, das war schlimmer als alles, was die bei «Aktendeckel» je gezeigt haben. Ich hielt mir die Augen zu und klickste schnell weiter. Mir ging gleich so der Puls hoch, dass ich uns zur Beruhigung einen Korn genehmigte. Der war nicht nur gut gegen den Schreck, der machte Gertrud und mich auch ein bisschen lockerer. Was Korn angeht – «daumenbreit» ist die Norm. Aber nun ist ja nicht jeder Daumen gleich breit, und wenn ich eingieße, können Sie sicher sein, dass … egal. Wir haben eine zweite Flasche aufgemacht, die sind ja klein. Gertrud hat angetrunken, wissen Se, sie ist sonst ja sehr robust, aber wenn es ums Trinken aus der Flasche geht, ist sie sehr küme und trinkt nicht, wenn schon einer anderer die Flasche vorm Hals hatte, nicht mal «unter uns Kornschwestern». Man versteht es nicht, aber so ist es.

Wir fanden eine Seite, die hieß «Seniorenpartnerschaften» (oder so, bitte nageln Se mich da nicht fest, so was merke ich mir nun wirklich nicht!). Gertrud rutschte ganz nervös auf ihrem Stuhl hin und her und fächerte sich aufgeregt Luft zu. «Renate», rief sie aus und schnappte nach Luft, «das ist ja wie angeln im Karpfenteich! Zeig den mal größer!»

Der Herr, den sie sich ausgeguckt hatte, hieß «Bärchen37». Sein Bild stand links neben «Ersucht51» und «Wolle21 cm». Das Bärchen saß auf einem großen Computerstuhl. Die Lehne ging ihm bis über die Ohren. Im Hintergrund konnte man Tapete erkennen, die mich an die erinnerte, die Tante Bente in ihrer Försterstube auch hatte, als ich sie mit Mutter mal besucht habe. 1942 muss das gewesen sein. Der Mann schaute nicht in die Kamera, sondern knapp dran vorbei, trug einen reichlich verwaschenen Pullover mit Querstreifen, in dem er es sich wohl zu Hause gemütlich gemacht hatte. Es wirkte so, als hätte er das mit dem Bild nur mal probieren wollen und sich dann gedacht: «Ach, egal, fürs Interweb reicht es, sollen die Frauen mal schreiben.» Nee, der Zausel hatte sich wirklich gar keine Mühe gemacht. Während Gertrud noch mit gespitzten Lippen den Kopf hin und her wiegte, schüttelte ich selbigen und sagte: «Der sitzt nur vorm Computer und hat nicht mal

E I N E N Freund, der ein Bild von ihm machen kann. Der nicht! Am Ende ist das ein Massenmörder, der dich in den Keller sperrt wie im ‹Gasthaus an der Themse› bei Edgar Wallace.» Ich klickste weiter.

Der nächste Kandidat, ein gewisser «Herrmann_verwitw.», hatte sogar mehrere Bilder. Das war doch mal was! Auf dem ersten trug er Anzug. Im Grunde war der ganz vorzeigbar, aber irgendwas fehlte auf den Fotografien: seine Frau! Die hatte er einfach weggeschnippelt, der olle Schlawiner. Dass sie verstorben war, war keine Schande und auch wirklich bedauerlich, aber so was tut man nicht. Es war einfach pietätlos, die Gattin einfach abzuschneiden und mit dem Goldhochzeitsbild auf Brautschau zu gehen. Das geht doch nicht! Auf einem weiteren Bild sah man seine Augen zwar schön groß, aber leider hatte der Blitz ihn verblendet, und sie waren so rot wie bei einem Karnickel. «Gertrud, der Quatsch ist nichts für uns.» Sie goss noch einen Eierlikör ein und sagte munter: «Nun lass uns wenigstens noch ein bisschen gucken, wir müssen ja nicht gleich heiraten.»

Wir tippsten «Wolle21 cm» an, der hatte ein Passfoto von sich drin. Aus Versehen sendeten wir ein Herzchen, was wohl das Zeichen für Interesse auf dieser Seite war. Er schrieb jedenfalls gleich zurück und fragte, ob ich besuchbar wäre. Ich antwortete, dass ich mich immer freue, wenn Besuch kommt. Es war so ein Bio-Bild, wissen Se, wie man es für den Ausweis braucht. Wo man gucken muss wie ein Strafgefangener. Gruselig! Es gab weitere Fotos von ihm: eins vor einem großen Glas Bier, eins neben einem rostigen Auto und eins … nee! Mir verschlug es die Sprache. Der Herr Wolle zeigte doch tatsächlich sein Gemächt. Ich schnappte nach Luft, während sich Gertrud ein weiteres Mal die Brille zurechtrückte und am Eierlikör nippte. Ich werde das hier nicht weiter beschreiben, schließlich bin ich eine anständige Person. Ich sage nur so viel: Vier mal war ich verheiratet, aber so eine kümmerliche Pielauke habe ich in meinem ganzen Leben noch nicht gesehen. Ich klappte den Computer zu. «Gertrud, es reicht. Schluss mit dem Blödsinn. Für so was sind diese Geräte nicht erfunden worden. Das sind wirklich nur Restposten und Heiratsschwindler, die sich hier verdingen. Das hört mir sofort auf.»

Man muss so aufpassen als alter Mensch, die lauern an allen Ecken und versuchen, einen zu beschupsen!

Herr Alex von der WG hat mir Tschechen-Wings zum Kosten gebracht. Sehr lecker! Sie schmeckten fast wie Hähnchenflüchtel.

Es war ein sehr ungemütlicher Nachmittag Ende Oktober, als wir nach unserem täglichen Auftritt in der Bank bei Ilse auf einen späten Tee zur blauen Stunde einkehrten. Dafür gab es einen Grund, denn Gertrud hatte wichtige Post aus dem Ausland bekommen. Der Brief war auf Englisch, da musste uns Ilse helfen.

Meiner Freundin stand nämlich ein Erbe aus Nigeria ins Haus!

Am Tag zuvor hatte Gertrud ein amtlich anmutendes Schreiben mit Briefmarke und Stempel von Nigeria im Postkasten vorgefunden. Es war ein zwei Seiten langer, eng geschriebener Brief, von dem sie leider nicht viel verstand. Wir Älteren können ja meist kein Englisch. Das ist eben so, da müssen Se nicht drüber lachen. Wir haben das in der Schule nicht gelernt. Deshalb sind wir nicht dumm! Wir können Handarbeiten, Völkerball und haben im Werkunterricht sogar gelernt, einen Nagel in die Wand zu schlagen und eine Gans zu schlachten. Ich kann auch bis heute das große Einmaleins ohne Taschenrechner aufsagen. Wenn Sie in diesen Zeiten vier Kinder danach fragen, kriegen Se vier Antworten und müssen schon froh sein, wenn eine dabei ist, die ungefähr an das Ergebnis rankommt. Ach, ich will mich aber nicht schon wieder aufregen, lassen wir das Thema besser. Jedenfalls kann unsere Generation kein Englisch, nur ein paar Brocken, die man mal im Urlaub oder im Fernsehen aufgeschnappt hat: «Sänkjou», «Häv a neis day» und «Fackjorself». Damit kommt man auf Reisen ja prima durch, aber beim Brief aus Afrika half es nicht. Ilse musste ran. Sie war früher Lehrerin, das wissen Se ja schon, wenn Se aufgepasst haben, und hat auch Englisch gegeben. Fast 45 Jahre war sie im Schuldienst und hatte nur einmal eine kleine Auszeit, als sie in ein Sanatorium musste, und das kam so:

In ihrer Zeit als Lehrerin hat Ilse hauptsächlich Deutsch und Englisch gegeben, aber früher war im Schulbetrieb ab und an schon mal Not am Mann. Ilse musste ran, als in der Obertertia der Musikunterricht auszufallen drohte. Ilse kommt aus gutbürgerlichem Haus und hat musische Erziehung genossen. Sie spielt sehr hübsch Klavier. Nun sind ja Kinder in dem Alter recht albern und neigen zum Übermut, erst recht die Buben. Jedenfalls setzte der Lümmel von der ersten Bank eine weiße Maus auf die Klaviertastatur, während Ilse mit geschlossenen Augen spielte und sang. Das Tier hetzte mit flinken Schritten, die so leicht waren, dass sie keine Misstöne verursachten, direkt auf Ilses Finger zu. Ilse gab gerade «Am Brunnen vor dem Tore» und sang zart dazu. Die Schlode lässt das den Männerchor auch gern singen. Gertrud und ich sagen immer: «Jetzt kommt wieder ‹Das Brummen vor dem Tore›.» Hihi. Sie sollten das mal hören, dann wüssten Se, warum! Ilse hingegen sang glockenhell und lieblich. Gerade, als sie beim «Lihindenbaum» angekommen war, erreichte die kleine, süße Maus Ilses Finger. Statt des E traf ihr Ringfinger das weiche, flauschige Fell des Tieres. Und da war es aus mit Ilse. Sie erlitt einen schweren Schock. Vier kräftige Obertertianer holten sie vom Klavierhocker, auf den sie sich gerettet hatte, runter und brachten sie ins Lehrerzimmer. Der Doktor wurde herbeigerufen und spritzte ihr was, wovon sie zwei Tage durchschlief. Das ist heute bestimmt gar nicht mehr erlaubt. Sie war ein gutes Vierteljahr in Behandlung beim Psychodoktor, bei dem sie aber nur auf der Couch liegen und zuhören musste. Sie haben sie halbwegs hingekriegt, im Herbst drauf konnte sie schon wieder arbeiten. Sie spielt auch bis heute gern Klavier, aber nur noch mit offenen Augen.

Eine Studierte isse, unsere Ilse. Eine ganz feine Frau, ach, ich bin so stolz, sie zur Freundin zu haben. Also sind Gertrud und ich hin zu ihr. Ilse war ganz aufgeregt. Es macht sie immer so glücklich, wenn sie geistig gefordert wird. Sie gibt gern Hausaufgabenhilfe und paukt mit den Nachbarskindern Vokabeln, aber das ist noch was anderes als ein offizielles englisches Dokument.

Ilse setzte sich die Lesebrille auf die Nase und fing sofort an zu lesen. Leise murmelte sie vor sich hin, zog immer mal wieder die Stirn kraus und fasste sich ab und an erschrocken an den Hals. «Als Schüler hätte ich dem Schreiberling eine glatte Fünf gegeben. Das hat kein Muttersprachler verfasst, kein Native Speaker.» Ilse sprach sehr gebildet. Sie kam mir fast vor wie eine Gutachterin vor Gericht, die im Verfahren Stellung zu einem Fall nimmt. Gertrud und ich gehen nämlich in letzter Zeit gern zu Gerichtsverhandlungen. Wissen Se, immer nur Beerdigung ist langweilig auf Dauer. Wir gehen sehr gern zu Strafverfahren. Das ist öffentlich und immer spannend. Sicher, das ist da ohne Kaffee und Kuchen, aber dafür wird einem mehr geboten als im Nachmittagsprogramm vom RTL. Und man kann noch was lernen! Gertrud und ich wetten immer um die Höhe des Strafmaßes, das der Richter den Bagaluden aufbrummt, und wer am dichtesten dranliegt, hat gewonnen. Die andere muss dann Kaffee und Kuchen bezahlen. Es ist ja doch immer eine Aufregung mit so vielen Verbrechern um einen herum, da tut eine kleine Stärkung hinterher not. Gerichtsverfahren sind als Ergänzung zu «Aktenstapel XY» eine prima Sache. Das schult und klärt auf! Auch deshalb bin ich im Bilde und kenne mich mit Abzocke und Betrug aus.

Ilse murmelte noch immer über den Brief aus Afrika. «Den hat jemand, der nur ganz schlechtes Englisch spricht, geschrieben, Gertrud. Das ist so miserabel …» – sie stockte im unteren Absatz und rückte die Brille neu zurecht, aber das half nicht –, «… ich kann dir beim besten Willen nicht sagen, was dieser Satz überhaupt bedeuten soll.»

Ilse schickte Kurt nach dem Wörterbuch. Sorgsam schlug sie die dünnen, eng beschriebenen Seiten um und ließ den Zeigefinger murmelnd über die Wörter huschen.

«Verbrenn das, Gertrud. Das ist Betrug», sprach sie entschlossen und zerknüllte den Brief. Gertrud guckte enttäuscht, aber Ilse erklärte es genau.

Der Herr schrieb, dass sein Onkel ein wichtiger Militärfritze in Nigeria war. Der hat wohl irgendwie Geld auf die Seite gebracht, genau genommen 15 Millionen Dollar. Der Onkel wäre einer von den Guten, der die Bösen da beim Ölhandel beschupst hat. Nun war er alt und wollte, dass mit seinen Puseratzen was Vernünftiges geschieht. Mitnehmen kann man nix, das sage ich Ihnen! Er wollte das Geld nicht für sich privat, und auch sein Sarg hatte kein Regal, nee, er wollte damit Schulen gründen und einen Dienst an der Gesellschaft erweisen. Allerdings stellten sich die auf der Sparkasse in Nigeria nun wohl ein bisschen etepetete an, sie ließen ihn irgendwie nicht an das Geld ran. Es gäbe allerdings einen Trick: Wenn man die Mücken in das Ausland überweist, können die Bänker nichts machen. Und deshalb sollte Gertrud helfen. Sie wollten ihr die 15 Millionen überweisen, und Gertrud sollte als Dank für ihre Mühen, für die Umstände und die Rennereien 25 % behalten dürfen. Rechnen Se das mal mit! Selbst wenn der Kurs zum Dollar schwankt wie ein besoffener Seemann nach zwei Flaschen Rum, kommt da mehr bei raus, als auf einen Kontoauszug passt. Für so viel Geld müssen selbst drei alte Frauen lange stricken, noch dazu, wenn eine davon – Gertrud – nicht richtig guckt und ständig Maschen fallen lässt und eine andere – Ilse – wegen der Arthritis nicht mehr die Fixeste an den Nadeln ist. So weit klang das alles gut und verlockend, wäre da nicht dieser Haken: Gertrud sollte für die Gebühren vorab ein zehntel Prozent der Summe vorschießen, weil die Bank sich sonst bockbeinig stellte. Da lag der Hase im Bett. Im Kornfeld. Nee, im Pfeffer. Das klingt erst mal nicht viel, aber rechnen Se mal, das sind 15 000 Dollar! Kurs hin oder her, so viel hatte Gertrud nicht mal auf der hohen Kante, in der Teebüchse im Küchenschrank und auf dem Sparbuch zusammen. Nicht mal, wenn sie ihr Beerdigungsgeld dazulegen würde, käme sie auf so einen Betrag. Da habe ich drauf bestanden, dass sie vorsorglich so viel auf ein Extrakonto tut, von dem wir sie in Ehren unter die Erde bringen können, wenn es mal so weit ist. Man kann doch nicht die Kinder damit belasten, ich bitte Sie!

Aber selbst, wenn Gertrud das Geld gehabt HÄTTE – nie im Leben würden Ilse und ich zulassen, dass sie davon was überweist. Immerhin wird seit bald 20 Jahren davor gewarnt. Mit so einem Trick brauchen die uns aufgeklärten Damen, die regelmäßig die Kripotipps im Fernsehen schauen, nicht kommen. Gertrud war auch kein bisschen traurig oder enttäuscht, sondern froh, dass sie eine Freundin wie Ilse hatte, die beim Übersetzen half.

Gerade als alter Mensch muss man vor allem gewappnet sein! Die wissen genau, dass wir ein bisschen was auf dem Sparbuch haben, weil wir eben noch die Generation sind, die nicht auf Pump lebt. Bei uns gelten noch die Tugenden und der Grundsatz, dass man nur das Geld ausgeben kann, das man tatsächlich hat. Wenn ich die jungen Leute sehe!

Der Herr Alex zum Beispiel. Ich habe Ihnen ja schon angedeutet, dass ich auf den noch zurückkomme, und nun ist es so weit. Der studiert was mit Geld, irgendeinen Wirtschaftsquatsch. Das ist im Grunde ein Netter, mit dem unterhalte ich mich gern. Ich habe der Mutti auch versprochen, ein Auge auf den Jungen zu haben, damit er nicht verlottert und das Studium vernachlässigt. Schon deshalb bin ich ein, zwei Mal die Woche oben bei ihm und schaue nach dem Rechten. Saubermachen lässt er mich aber nicht, obwohl es doch ein Leichtes wäre, da feucht durchzuwischen. Und not täte es schon, ohne dass ich den jungen Leuten zu nahe treten will.

Ja, den Herrn Alex mag ich. Der redet mit mir nicht wie mit einer debilen Tante, sondern spricht mit mir sogar über Politik. Alex sagt, meine «Denke» wäre völlig altmodisch und wenn das alle so machen würden, würde die ganze Wirtschaft zusammenbrechen. Er sagt, heute wäre das ganz anders. Da kann man sich nicht mehr nur die Dinge leisten, für die man das Geld beisammenhat, sondern man kauft so viel auf Kredit, dass man gerade noch die monatlichen Raten «abdrücken» kann. Ja, da muss man sich dann nicht wundern. Für mich kommt das nicht in Frage!

Zwischenzeitlich hatte Gertrud den Herrn Alex sogar im Verdacht, dass der der Enkelbetrüger war. So ein Blödsinn! Gertrud ist in solchen Dingen sehr naiv. Wenn die einen Krimi sieht und es kommt einer mit einem bösen Blick oder er hat eine Tätowation, dann schreit sie sofort: «Der war es! Das ist der Mörder», und guckt den ganzen Film über nicht mehr richtig zu, sondern süppelt von der Bowle und nascht Konfekt. Am Ende ist sie immer ganz überrascht, wenn doch ein anderer verhaftet wird und der Kerl mit dem Nasenring ehrenamtlich mit behinderten Kindern turnt.

Jetzt habe ich den Herrn Alex schon so ausführlich erwähnt, Ihnen aber noch gar nicht richtig vorgestellt. Das wird nun wohl Zeit.

Der Herr Alex wohnt seit einem knappen Jahr bei mir im Haus, wissen Se. Ganz oben ist eine Wohnung frei geworden, als es den Herrr Berger in eine Seniorenresidenz zog. Ich habe das sehr bedauert, der Herr Berger hat abends nämlich immer die Haustür zugesperrt. Er ging recht spät schlafen, der guckte noch Spätnachrichten bis nach bald um zehn. Danach machte er seine Runde durch das Haus und riegelte ab. Sicher ist sicher, wissen Se, wir wohnen zwar in einer gesitteten Gegend, aber man weiß ja nie. Das bleibt nun auch alles an mir hängen.

Ach, das war eine spannende Zeit, als der alte Herr ausgezogen war, kann ich Ihnen sagen! Kaum war der raus, waren die Maler schon drin. Der Vermieter wollte keine Zeit verlieren, Zeit ist Geld, heißt es ja immer, und bei den heutigen Mietpreisen ist selbst ein bisschen Zeit eine Menge Geld.

Sie können sich ja denken, was hier los war mit einer freien Wohnung im Haus. Dieser Tage sind ja bezahlbare Wohnungen bald so selten wie ein vernünftiges Fernsehprogramm. Kirsten kann Ihnen vielleicht helfen, wenn Sie gerade auf Wohnungssuche sind – obwohl, die ist auch vorsichtig geworden. Sie hat letztes Jahr richtig Ärger bekommen, es war dichte dran, dass man sie vor den Kadi gezerrt hat. Sie wissen ja, sie macht allen möglichen Blödsinn mit Esoterik und Viechern, die Leute sind da reineweg verrückt nach. Ich würde es selbst nicht glauben, für was für einen Quatsch die Menschen Geld ausgeben, aber Kirsten berichtet bei jedem Besuch was Neues. Nunmehr macht sie Sitzjoga. Da lernen die Leute stillsitzen. Sie müssen runter in den Schneidersitz und im Kreis eine halbe Stunde dasitzen und den Schnabel halten. Kirsten geht derweil rum und kontrolliert, dass alle ruhig sind, sodass die Energie gut fließt. Beim ersten Mal geht es eine halbe Stunde, und dann steigern die sich jede Woche ein bisschen, bis sie eine ganze Stunde durchhalten. Danach fühlen sie sich frisch und befreit und bezahlen Kirsten pro Person 25 Euro dafür, dass sie sie beim Stillesitzen betreut. Nee, Kirsten verdient ihre Puseratzen wirklich wie im Schlaf.

Noch schlimmer als die Leute, die im Kreis sitzen, sind ja die Fälle mit den Katzen. Wenn die Kinder aus dem Haus sind, wissen viele alte Damen nicht, wohin mit ihrer Fürsorge. Der Gemahl hat keinen Sinn dafür oder eine Sekretärin, die … na ja. In dem Fall ist die Katze dran. Kirsten berät da gern, wie die Wohnung vom Peng Schui her ausgerichtet werden muss, damit die Muschi sich wohl fühlt. Sie hat schon vier Frauen dazu gebracht, ihre Wohnungen aufzugeben und umzuziehen, weil die Wasseradern gegen das Schmuse-Schackra der Kätzchen gearbeitet haben. Wenn Sie also mal eine Wohnung suchen – fragen Se gern bei Kirsten nach, die weiß meist, wo bald was frei wird. Einer der Ehegatten, der mit umziehen musste, hat aber Meldung gemacht. Sie ist mit Akkunadeln zum Kommissariat gefahren und hat sich wohl irgendwie aus der Affäre gewunden. Trotzdem passt sie seither ein bisschen mehr auf. Vorsicht ist die Mutter ihrer Klangschalen!

Die Wohnung vom alten Herrn Berger war sehr begehrt. Die Frau Meiser hatte auch Interesse. Die wollte ihren Bengel, den Jason-Meddocks, wieder ein bisschen mehr unter ihren Fittichen haben. Der ist jetzt in Lehre beim Schuster und wohnt mit zwei Freunden zusammen. Der Umgang gefällt der Meiser nicht. Ab und an sitzt die auf meinem Küchensofa und spricht sich mal aus, daher weiß ich das. In der Lehre nimmt er es nicht so genau, um seine Tochter, die er mit seiner ehemaligen Klassenlehrerin hat, kümmert er sich nicht, und da sorgt die Meiser sich. Ich kann sie verstehen. Ein

Kind allein zu erziehen und zu arbeiten – das ist in der heutigen Zeit gar nicht so leicht. Da habe ich Respekt vor jeder Frau, die das stemmt. Die Frau Meiser ist beileibe keine Schlechte. Wenn Se nur ein bisschen mehr auf ihren Umgang achten würde und sich nicht mit der Berber, diesem losen Luder, abgeben würde! Ja, wie dem auch sei, der Bengel wollte jedenfalls nicht mehr mit der Mutter unter einem Dach wohnen. Vielleicht ist es besser so. Der Junge muss seinen Weg gehen. Wenn ich mir vorstelle, Kirsten würde hier … ich darf den Gedanken nicht mal zu Ende denken, sonst kriege ich gleich wieder rote Pusteln im Dekolletee!

Na ja, wir hatten jedenfalls einen Auflauf hier in der Gegend, Sie machen sich kein Bild! «Wohnungsbesichtigung» nannten die das. Sie standen in Zweierreihen durch den Hausflur, wohl an die hundert Leute. Ich ließ die erst mal machen und beäugte nur durch den Spion das Geschehen. Einer ließ sein Kaugummipapier fallen, da bin ich natürlich raus und habe dem was über Manieren erzählt. Sonst verhielt ich mich jedoch zunächst still. Eine Renate Bergmann kann warten, bis ihre Schangse kommt, und schlägt erst zu, wenn sie auch gewinnt! Den Volksauflauf machten die an zwei Wochenenden, es hatte gar keinen Sinn, im Hausflur zu wischen, sage ich Ihnen. Da habe ich keine Hausordnung gemacht, das war nicht einzusehen. Die trampelten einem sowieso wieder alles dreckig. Obwohl es mir an die Ehre ging, das muss ich schon sagen. Gerade bei eventuellen neuen Nachbarn will man doch einen guten ersten Eindruck hinterlassen!

Ein paar Tage nach der zweiten Besichtigung war dann plötzlich der Hausverwalter mit einer Zicke in Stöckelschuhen im Flur. Sie kicherte ganz künstlich und himmelte ihn an, den Herrn Verwalter, nee, alter Falter! Man mochte gar nicht hinschauen. So eine passte hier nicht rein. Aber da sich die aufgetakelte Madame so ins Zeug legte, war wohl noch nichts unterschrieben und somit noch nicht alles verloren.

Ich stellte erst mal meine Marschmusikschallplatte an. «Ernst Morsch und die Fienersteiner Musikanten», wissen Se, das höre ich sonst auch nicht. Das ist wirklich nur was für ganz alte Leute. Ich drehte den Lautsprecher zur Decke hin, damit die oben gut hörten, und stellte auf ganz laut. Ich beeilte mich, in der Küche eine Büchse Katzenfutter warm zu machen. Sie haben ja keine Vorstellung, wie das stinkt, vor allem die Sorte mit dem Fisch! Ich stellte das Töpfchen in den Hausflur und legte zur Sicherheit noch die Fußmatte raus, auf die Katerle ein Bächlein gemacht hatte. Sie waren immer noch oben! Ich musste ganz sichergehen, schüttete ein paar Wäscheklammern in die Waschmaschine und stellte das Gerät auf «Schleudergang». Das reichte dann. Ich verstand ja leider nicht, was sie sprachen, der Verwalter und sie, weil die Musike so laut war. Aber sie ging voran und gestikulierte. Mal hielt sie sich die Ohren zu, dann kniff sie sich in die Nase und blies die Backen auf. Vom Balkon aus sah ich, dass sie unten ein paar

Blatt Papier zerriss und von dannen stolzierte auf ihren Pfennigschuhen. Die waren wir los. Wenn se erst mal drin ist, dann hat man die Laus im Pelz und kriegt sie nur schwer wieder raus. Nee, nee, das war schon richtig so. Ich ärgerte mich nur, dass ich dieses olle Schleuderprogramm mit den Wäscheklammern nicht abbrechen konnte. Fürchterlich, dieses höllenlaute Geklapper.

Für den nächsten Tag hatte ich einen großen Topf mit Kalbsfüßen vorbereitet. Halten Se mich nicht für eine schlechte Hausfrau, ich bin keine, die nur Tüten aufreisst, Heißwasser draufkippt und umrührt. Ich mache nun bestimmt viel selbst, aber Gelatine kann man gut fertig kaufen. Die selber zu machen ist so aufwendig, dass ich im Grunde seit Jahren keine mehr ausgekocht, sondern immer aus dem Beutel gekauft habe. Es macht nicht nur eine Menge Arbeit, nein, es riecht auch sehr unangenehm. Genau das Richtige, um einen neuen Nachbarn vom Einzug abzuhalten, falls der … Aber was soll ich Ihnen sagen – der Herr Verwalter kam am nächsten Tag mit einem sehr sympathischen jungen Mann die Treppe hoch. Kaputte Hosen und zottelige Haare haben se heute alle, aber der Herr Alex – er stellte sich noch am gleichen Tag persönlich vor, denken Se sich nur! –, der Herr Alex war ein ganz Vernünftiger. Das sah ich schon durch den Türguck im Vorbeigehen. Er ließ den Hausverwalter vorangehen und streifte sich auf der Fußmatte die Schuhe ab. 1a-Manieren! Soweit ich das sehen konnte, hatte er keine Schuhsohlen, die Schlieren machen, und ein freundliches Gesicht. Ich

ließ die Finger vom Plattenspieler, spülte das Kalbs-
geläuf in der Toilette runter und lüftete kräftig durch.
Während die beiden Männer oben in der Wohnung waren, sprühte ich ein paar Spritzer Kölnischwasser in den
Hausflur. Der junge Mann sollte sich schließlich wohl
fühlen bei uns. Lieber ein Student, der einem mal helfen
kann, wenn am Fernseher was verstellt ist, als so eine
Etepetete-Madame, die sich zu fein ist, die Finger in das
Wischwasser zu stuken!

Am Abend klingelte er dann eben schon und stellte
sich vor. Da heißt es immer, die jungen Leute wissen
nicht, was sich gehört, aber das kann ich so nicht bestätigen. Es gibt solche und solche. Er hieß Alexander Ha-
ckenberg und sagte gleich, dass ich ihn «Alex» nennen
soll. Sehr sympathisch. Er behandelte mich respektvoll
und sagte «Frau Bergmann» zu mir, nicht «Omi» oder
«Tante Bergmann» oder so einen Quatsch. Oft behandeln einen die jüngeren Leute ja, als wäre man schon
ein bisschen weich im Oberstübchen. Nee, nicht so der
Herr Alex. Er erzählte, dass er Jura und Wirtschaft studierte und Rechtsanwalt werden wollte. Da die Wohnung teuer war, würde er sie mit zwei Mitstudenten tei-
len, von denen er mir versicherte, dass die in Ordnung
wären. Da hat er recht, da kann man nichts sagen. Sogar
das Fräulein Stacy-Caryna. Ich habe lange geübt, aber
ich kann es mir nicht merken, und sie ist mir auch nicht
böse, wenn ich sie Stanzi nenne. Die Stanzi hat von der
Mutti eine «Erstausstattung» für die Küche gekriegt,
als sie aus dem schönen Saarland hier zum Studieren

nach Berlin gezogen ist. Sie hat Besteck für sechs Personen und Tassen und Töpfe, das ist schon mal mehr, als die Berber hat. Darauf kann man aufbauen. Den anderen, den kleinen Michael, mag ich auch. Obwohl man da nicht so genau hingucken darf, ganz koscher ist der nicht. Er ist schon Mitte 20, und es ist sein zweites Studium nach «Wasmitmedien». Die müssen doch mal wissen, was sie wollen! Erst machen sie Abitur, und danach sind sie so durcheinander, dass sie sich erst mal finden müssen und ein Jahr «Auszeit» brauchen – da frage ich, wovon denn? In dem Alter hatten wir schon Familie! Auszeit! Ach, ich muss aufhören, sonst rege ich mich nur wieder auf!

Herr Alex sagte, dass ich sofort Bescheid geben sollte, wenn irgendwas nicht richtig wäre. Sie wären alle drei in Berlin, um zu studieren, und nicht, um jeden Abend laut zu feiern. Aber sicherlich würde es eine Einweihungsfeier geben, zu der er mich gleich einlud. Wissen Se, wenn einer so nett ist, da kann man doch nichts gegen ihn sagen. Es war vom ersten Tag an eine angenehme Nachbarschaft. Ich warnte vor der Berber und half beim Umzug, so gut ich konnte. Sicher, mit meiner Hüfte und mit meinen 82 Jahren fasse ich die Waschmaschine nicht mehr mit an, aber ich wischte die Regale aus und brachte Kaffee und Kuchen zur Stärkung. Alle sagten, wie lecker der Streuselkuchen war. Ich wusste gar nicht mehr, von welcher Beerdigung der stammte, ich glaube, es war die von Hertha Hussenschrat.

Der Herr Alex hatte nichts mit der Betrügerei am Telefon zu tun, basta. Das habe ich der Gertrud ganz deutlich gesagt und ihr gedroht, sie aus der Ermittlungsmannschaft auszuschließen, wenn sie so was weiter im Sinn hat! Sie verfolgte diese falsche Spur auch nicht weiter, sondern freute sich, dass Ilse die Likörschalen und ihren Aufgesetzten holte. Schließlich mussten wir den verhinderten Bankbetrug aus Nigeria begießen!

Kurt sagt, der Enkel hat es genauso gemacht wie in der Beschreibung vom Zauberkasten angegeben, aber Ilse bleibt verschwunden.

Nach drei Wochen Schauspielerei auf der Bank wurde ich langsam ungeduldig. Die MUSSTEN doch anbeißen? Ich überlegte, ob denen 20 000 Euro wohl zu wenig waren, und wollte mich mit Ilse und Kurt dazu beraten. Also bin ich hin zu Gläsers, wo ich gerade ankam, als Ilse am Telefon war. Kurt machte mir auf, ließ mich rein und deutete mir an, dass ich am Küchentisch Platz nehmen sollte. Es würde wohl einen Moment dauern.

«Hallo Jonas, nun rate mal, wer hier ist. Ach, sag an? Steht da? Ja gut. Ja, die Oma. Ach, gut. Ich will nicht klagen. Das Wetter merke ich im Knie, das schon. Du weißt schon, dass linke, das operierte. Immer wenn der Ostwind pfeift. Ja, man merkt eben doch, dass es Herbst wird, Opa hat es auch so im Kreuz. Aber du kennst ihn ja, zum Doktor geht er nicht. Ich rede und rede, aber der sagt, er hat nichts. Bis es dann zu spät ist! Wie bei Onkel Heinrich … Jonas, also bitte. Was heißt hier ‹Was für ein Onkel Heinrich?›! Hallo? Hallo? Hallllllllooooo?»

Ilse bemerkte mich.

«Tach, Renate. Komm rein, setz dich. Ach, du sitzt ja schon. Ich muss nur schnell Jonas … aber es macht nur noch tütütüt. Kurt, guck doch mal … nee, lass.» Kurt und gucken, also, das ist schwierig. Das hilft ja nun keinem weiter.

«Renate, was ist denn? Hab ich es kaputt gedrückt?», wandte sie sich an mich.

«Nein, Ilse, du hast nur aufgelegt.»

«Ach? Ich hab noch …»

«Wenn du mit dem Ohrläppchen auf den roten Hörer kommst, legst du auf.»

Sie guckte nicht so, als hätte sie verstanden, aber das war auch nicht wichtig, denn das Gerät summte schon wieder und Jonas rief zurück.

«Auf GRÜN, Ilse, auf GRÜN!»

«Hallo? Jonas? Hier ist die Oma. Tante Bergmann ist gerade zu Besuch gekommen. Die kennst du aber noch, oder?»

Ilse nickte beruhigt, offenbar erinnerte sich der Bengel an mich, im Gegensatz zum Heinrich. Ilse ließ das keine Ruhe. Sie ließ nicht locker.

«Onkel Heinrich, der damals mit an der See war. Da warst du noch ganz klein, Jonas. Ja. Onkel Heinrich hat sich doch beim Baden den Zeh an der Fischbüchse geschnitten. Der hat geblutet wie die Sau beim Schlachtefest, Opa ist noch mit ihm zum Doktor wegen Wundstarrkrampf … nun sag bloß, das weißt du nicht mehr?»

Ilse machte eine kurze Pause und holte Luft. Derweil erklärte der Enkel ihr so laut und deutlich, dass ich alles mithören konnte, dass er die Geschichte nur vom Erzählen auf Geburtstagsfeiern kannte, dass er damals zwar dabei, aber erst sieben Monate alt war und seine Erinnerung daran beim besten Willen eher schwach.

Nachdem das klar war, eierte Ilse trotzdem immer weiter herum.

«Opa will nicht zum Doktor, stell dir das mal vor. Ich weiß nicht mehr, was ich machen soll, Jonas. Der jammert über den Rücken, und ich muss ihn jeden Abend mit Franzbranntwein einschmieren, aber denkst du, der geht zum Arzt? Bis es zu spät ist! Wenn du mich fragst», fuhr Ilse fort, ohne dass sie jemand gefragt hätte, «wenn du mich fragst, hat der nur Angst, dass ihm der Doktor mit den Augen kommt und das Autofahren verbietet. Aber was soll ich machen außer reden, er wird schon sehen, was er davon hat! Aber eins sage ich dir: Wenn Opa mal wegen Rücken stirbt, gehe ich nicht gießen. Dann ist er selber schuld, dann kriegt er Terrazzoplatten auf das Grab.»

Wissen Se, es ist wirklich erstaunlich mit Ilse. Ein wildfremder Mensch fragt sie nach dem Weg oder ob sie ihm einen Euro für den Einkaufswagen wechseln kann, und nach zwei Minuten weiß er, wie Kurt mal unter die Erde gebracht werden soll. Darüber redet sie gern. Wenn man böse wäre, könnte man unterstellen, dass sie es gar nicht abwarten kann. Aber das wäre ungerecht, sie ist froh, dass sie Kurt noch hat, selbst wenn sie traurig guckt, wenn Gertrud und ich jeden 3. Sonntag im Monat zum Witwenclub gehen und sie nicht mitdarf.

Ilse machte mal eine ganz kurze Pause und überlegte, warum sie Jonas überhaupt angerufen hatte.

«Ich schleppe mich doch nicht mit den Kannen ab, nur weil der nicht zum Doktor gegangen ist! Aber Jonas, mein Junge. Weshalb ich anrufe: Morgen mache ich Dampfnudeln mit Pflaumen, da kommst du zum Essen, oder?», kam Ilse nun endlich zum Punkt

Jonas sagt, er hat es mit Ilse und Telefon nicht leicht. Ja, die Aufgaben ändern sich eben – wer geht denn heute noch melken und pflügen, frage ich Sie? Heute müssen sie uns eben Händi erklären und den Fernseher einstellen, das ist der Wandel der Zeit. Wir Alten haben ja auch andere Aufgaben! Früher haben sie auf die Kinder aufgepasst, wenn die Eltern auf dem Feld arbeiten mussten. Heute sind die Kleinen im Kindergarten, und wir nehmen dafür Päckchen an, wenn keiner zu Hause ist.

Ich habe mich am Anfang auch ein bisschen fremd getan mit dem Händigerät und aus Versehen mal was Falsches gedrückt, aber ich habe mich eingefuchst. Ilse kann nur telefonieren. Immerhin mit Lautsprecher. Da legt sie das Telefon dann auf den Tisch, und Kurt und sie rufen beide in die Mitte, laut und deutlich wie früher bei Ferngespräch. Jonas sagt, einmal haben sie statt «Telefon» «Video» gedrückt, und er hat 20 Minuten lang die Wohnzimmerlampe von unten gesehen. Er fand das aber nicht schlimm.

Der Jonas ist sowieso ein ganz patenter Bursche. Ein Enkel, auf den man stolz sein kann!

Nachdem die Essenseinladung überbracht war, diskutierten wir die aktuelle Lage. Wir guckten im Interweb noch mal ein paar alte Fälle vom «Aktenstapel» an und kamen zu dem Schluss, dass wir mit einer Ködersumme von 20 000 Euro schon gut beraten waren. Wir entschieden, dass das langte. Noch mehr wäre unglaubwürdig. Kurt meinte, es wäre wie beim Nachtangeln. Da sitzt man auch manchmal bis in die frühen Morgenstunden mit der Piepe im Wasser, und nichts passiert, aber wenn man gar nicht damit rechnet und schon bei Forellen-Rainer ein paar Filets holen und nach Hause gehen will, bemerkt der dickste Fisch im Teich doch noch den Köder und beißt an.

Ich staunte, was für ein Poet unser Kurt manchmal sein kann, und wollte ihm das gerade sagen, aber er wandte sich ab und fragte Ilse, wo die Muskatreibe wäre. Er hätte Hornhaut am Hacken. Da sparte ich mir das Kompliment.

Ein paar Tage später war es endlich so weit. Ich hatte mir ja geschworen, dass die fällig wären, wenn sie noch mal anrufen sollten. So sagt man wohl. Fällig. Zack.

Der Apparat in der Wohnstube schellte. Man hört das ja oft schon am Klingeln, wenn es was Ernstes ist, und ich hatte auch gleich so ein komisches Gefühl.

«Hallo Oma, wie geht's dir?»

Als ich diese Worte hörte, blinkten aber sofort alle Alarmlampen bei mir. Es war so weit! Die Kanaillen hatten angebissen und mich ins Visier genommen. Es ging los! Jetzt galt es, die Nerven zu behalten.

Ach, was hat es gerattert in meinem Kopf, sage ich Ihnen. Ich hatte mich zwar lange vorbereitet, mir alles überlegt und zurechtgelegt. Was meinen Sie, wie viele Nächte ich mich in den Schlaf gegrübelt habe auf meiner Heizdecke! Aber wenn es dann losgeht, ist es ja doch ganz anders.

«Jennifer, bist du es?», fragte ich der Person entgegen. Ich habe sie einfach Jennifer genannt. Wissen Se, ich nenne auch alle Krankenschwestern immer Jennifer. Das ist ein gängiger Name, das passt meist. Früher hießen sie fast alle Sabine, manche Maren, aber das wird seltener. Die Jüngeren kommen nach, und die ersten Sabines und Marens sind schon in Rente, da kommt man mit Jennifer besser zurecht, ist meine Erfahrung.

Als die Anruferin antwortete: «Ja, Oma, hier ist Jennifer», na, allerspätestens da war mir glasklar, wo der Frosch den Scheitel hat. Oder die Locken? Ach, ich war ganz durcheinander. Oma! Von wegen.

Ich habe gar keine Enkel!

Jetzt hatte meine Stunde geschlagen. Der Dame würde ich das Handwerk legen. Zum Kaffee wollte sie kommen, das Fräulein Jennifer. Sie beendete das Gespräch aber von eben auf jetzt und meinte, dass sie gleich wieder anruft. Das passte mir gut in den Kram, denn derweil konnte ich meine Mitermittler alarmieren. Die waren alle in Einsatzbereitschaft. Gertrud schlief seit Wochen in Anziehsachen, damit es nicht so lange dauerte im Notfall, wissen Se. Bis die ihre Thrombosestrümpfe hochgerollt hat, na, da sind die Schurken über alle Berge. Kurt war früher Kampfreserve und ist immer einsatzbereit, der kann im Notfall auch mal die Manchesterhose über die Schlafanzughose ziehen und bleibt trotzdem mobil. Seinen Vorsprung nutzt er, um Ilse anzutreiben. Auf die beiden ist Verlass.

Der Schwachpunkt war Norbert. Wissen Se, wenn er Gassi muss, ist er wie ein geölter Blitz an der Tür, aber wenn nicht, muss Gertrud ihn mit Puffreisschokolade locken und am Hintern schieben.

Ariane und Stefan zu alarmieren war nicht nötig. Die würden nur sagen, dass ich die Polizei rufen muss, und mit Meldung bei Kirsten drohen, bra-bra-bra. Nee, das mussten wir Alten allein regeln.

Es war mir eine Herzensangelegenheit, der Betrügerbande das Handwerk zu legen und andere Ältere vor denen zu schützen. Die Polizei war so überlastet, dass die erst was machten, wenn das Verbrechen schon geschehen war. Wenn überhaupt! Dann schreiben die was in ihre Akten oder Computer, und ein paar Wochen später heißt es: «Das Verfahren wurde eingestellt, es konnte kein Täter ermittelt werden», was auf Deutsch heißt: «Wir haben das abgeheftet.»

Gerade hatte ich Gläsers und Gertrud informiert, da rief das Aas wieder an.

«Hallo Oma», begann sie gleich, ohne dass ich überhaupt «Bergmann, Spandau, guten Tach» hätte sagen können.

«Bist du alleine zu Hause?»

Von da wehte also der Wind. Die wollte sichergehen, dass hier kein Damenkränzchen beisammensaß, von dem drei Omis schon mal auf einer Schulung über Enkelbetrug im Altenzentrum gewesen waren!

«Aber Jennifer, wer soll denn bei mir sein? Du weißt doch, dass ich hier keinen habe. Ganz allein bin ich den lieben langen Tag und komme kaum raus. Gerade, dass ich mal mit meiner Freundin und ihrem Hund zur Sparkasse spaziere einmal im Monat! Deshalb freue ich mich auch so, dass wenigstens du dich mal meldest.» Meine Stimme zitterte zum Satzende hin. Das kann ich gut; wenn ich das bei Frau Doktor mache, schreibt sie mir auch immer ohne Mucken die guten Blutdrucktabletten auf und nicht die billigen.

«Ja, Oma, ich bin quasi schon auf dem Weg. Ich muss vorher nur noch was ganz Wichtiges erledigen. Das erzähle ich dir dann gleich … ich bringe Kuchen mit!»

Na, das war ja wohl ein Ding. Die hat aber schlecht rescherschiert für ihre Betrügereien. Ich musste mich ganz schön zusammennehmen, um nicht beleidigt loszuschimpfen. Als ob bei einer Renate Bergmann gekaufter Kuchen auf den Tisch käme, ich bitte Sie! Wenn es nicht um ein Verbrechen ginge, müsste man dem Kind noch Tipps geben. So dämlich, wie die sich anstellte, wunderte es mich, dass überhaupt jemand auf den Quatsch reinfiel. Aber andererseits – wenn die einen besabbelte durch die Telefonstrippe? Wer weiß, was noch alles kommen würde. «Renate, bleib bloß wachsam!», mahnte ich mich innerlich. «Aufpassen und keinen Fehler machen!»

«Hast du eigentlich ein Handy?», fragte die falsche Jennifer.

Nun aber Obacht! Wissen Se, für mich ist das so selbstverständlich, dass ich fast automatisch «Ja, aber natürlich, mein Kind» gesagt hätte, erst recht, wo mir Stefan nun die praktische Halterung an den Rollator geschraubt hat und das Ding sogar die Strecke ansagt. Eine Nawi, ach, Sie ahnen ja nicht, wie praktisch das ist! Man stellt auf «Fußgänger» und tippt «Else Busch-huhn» ein, und schon sagt das Ding «Links, in 100 m rechts, durch den Park» und husch, schon ist man bei der Buschhuhn auf dem Gehöft. Wenn man auf «Bus» stellt, sucht einem die Maschine sogar die nächste Bushaltestelle raus und zeigt einem die Verbindung an, mit der man am besten nach Hause kommt. Ein rich-tiges Wunderding ist das! Hätten wir das bloß schon früher gehabt, als Wilhelm noch lebte. Was meinen Se, was immer los war bei unseren Urlaubsfahrten. Ich bin nie richtig braun geworden, weil ich die halben Ferien auf dem Beifahrersitz unter der ausgebreiteten

Straßenkarte im Schatten saß. Aber wo war ich? Ach ja. Händi.

«Meinst du so ein Funktelefon, Jennifer?», fragte ich ahnungslos zurück. «Nee, so einen modernen Quatsch brauche ich nicht. Wen soll ich denn auch groß anrufen? Ich habe niemand mehr. Sind doch alle gestorben. In meinem Alter ist man allein. Ich bin als Letzte noch übrig.»

Das Luder wollte nur sichergehen, dass ich keine Hilfe rufen könnte, wenn es zur Geldübergabe käme. Ich musste auf der Hut sein und durfte mich nicht verplappern.

Sie sagte, ich solle nicht weggehen, sie würde sich wieder melden, und legte erst mal auf. Eine gute halbe Stunde verging. Derweil trafen Ilse, Kurt und auch Gertrud mit der Hundestaffel … also, mit Norbert, hier ein. Da fühlte ich mich gleich ein bisschen sicherer. Während die Verbrechensoperation anlief, war mir schon ein bisschen mulmig gewesen, so ganz allein. Aber nun waren sie da, wir waren alle nicht auf den Kopf gefallen, und es würde schon irgendwie gutgehen.

Ich brühte uns allen einen starken Kaffee. Der macht wach und schärft die Sinne, treibt allerdings tüchtig. Von daher bildete sich schon bald eine kleine Schlange vor der Toilette, und Ilse verpasste den nächsten Anruf der Enkeljennifer, weil sie gerade austreten war. Die anderen konnten aber mithören, ich hatte den Apparat auf LAUT gestellt. Sie murmelte was, dass sie nun bald käme, sie müsste nur noch zum Notar. Sie könnte nämlich eine Wohnung kaufen, ganz günstig aus einer Zwangsversteigerung, eine einmalige Gelegenheit sozusagen, wo jetzt die Mieten überall … Sie druckste ganz verlegen rum und sagte, dass es ihr regelrecht unangenehm wäre zu fragen, aber wo die Schangse so einmalig sei, dürfte man die nicht verpassen. Und deshalb, so sagte sie, würde sie nun allen Mut beisammennehmen und direkt und ungeniert anklopfen, ob ich ihr wohl Geld leihen könnte.

Ich jubilierte innerlich. Die hatten wir genau, wo wir sie hatten haben wollen! Dieses Aas würden wir aufs Kreuz legen! Die war so auf mein Geld erpicht, dass die gar nicht mitkriegte, dass sie in MEINE Falle gegangen war und nicht ich in ihre.

«Jennifer, mein Mädchen, natürlich hilft die Oma dir. Wozu ist denn Familie da? Und ich habe sonst niemanden mehr.» Ich durfte schon ein wenig tüdelig wirken und mich wiederholen, fand ich. Schließlich sollte die sich sicher fühlen. Wieder schluchzte ich, was Norbert zu einem tröstenden Kläffen animierte. «Wuff», bläffte er und leckte meine Hand. Der Hund ist ein bisschen dämlich und macht nie, was er tun sollte, aber im Kern doch ein guter Kerl. Ein bisschen so, wie mein Wilhelm war, Kirstens Vater.

Die Anruferin ging aber nicht darauf ein, die wusste ja nicht, ob ich einen Hund hatte oder nicht. Wenn sie gesagt hätte: «Ach, der Hasso ist ja auch da», dann hätte sie sich verraten – wer außer Gertrud kommt schon darauf, einen Hund Norbert zu nennen, frage ich Sie?

Sie rutschte ein bisschen auf der Unterlippe rum und versuchte, mich auszuhorchen. Die wollte wissen, wie viel denn zu holen wäre. Ich kenn mich doch aus! Ich habe alle Folgen «Nepper, Schlepper, Bauernfänger» auf Videoband. Denken Se sich mal, die hätte 10 000 Euro gefordert, da würde fast jede alte Dame Schnappatmung kriegen, wie damals, als Karl Moik beim «Musikantenstadl» aufgehört hat. Wer hat schon so viel Geld auf der hohen Kante? Andererseits, wenn die nun nur nach ein paar hundert fragte, na, da würde se sich doch was durch die Lappen gehen lassen. Man muss immer geschickt vorgehen und sich in die Leute reinversetzen, und sei es nur in so eine Gängsterbraut. Ilse zitterte die ganze Zeit mit ihrem Spitzentaschentuch zwischen den Fingern, während sie an Kurt gekauert auf der Couch saß. So war se schon als Mädchen. Zwei Spritzer Wasser aus dem Gartenschlauch, und Ilse verschwand hinter Mutters Rock.

«Oma, wie war es denn eigentlich im Urlaub? Du hast noch gar nichts erzählt!» So ein ausgekochtes Spitzfräulein! Also, eigentlich würde man Spitzbube sagen, aber da es ja zweifelsfrei eine Frau war und da die ja heute so viel Wert darauf legen, dass man das ordentlich macht, schreibe ich mal Spitzfräulein. Das klingt ein bisschen verdorben, aber ich glaube, Sie wissen doch, wie ich es meine. Ich lächelte in mich hinein, denn ich war ein bisschen stolz, dass ich ahnte, warum die so dämlich fragte – die wollte wissen, ob die olle Tante genug Geld für einen Urlaub hat und sich ihr Aufwand lohnt! «Schön war es, Jessica. Ach, wenn man ein bisschen mehr ausgibt und Außenkabine bucht, ist eine Kreuzfahrt immer schön, Jenny. Und das Mittelmeerklima tut meinem Asthma auch immer wieder gut.» Ich hustete trocken hinter den Satz her, ganz leise, nicht zu aufdringlich, nicht, dass die mir noch als Schauspielerin draufgekommen wäre. Die Anruferin merkte nicht mal, dass ich zwei Mal den falschen Namen gesagt hatte. Die war viel zu sehr auf das Geld erpicht, als dass die irgendwas gewittert hätte. Außerdem kann ich sehr überzeugend sein.

«Ach, wie schön. Das musst du mir nachher unbedingt erzählen», kam sie schon wieder zum Ende. «Ich rufe jetzt den Notar an und melde mich gleich noch mal wegen der Summe, ja Oma? Nicht weggehen, und halte die Leitung frei, ja?» Sprach se, die Dame, und bums, war schon wieder aufgelegt.

Kurt fragte, warum die wohl immerzu auflegt und sagt, dass sie gleich wieder anrufen wird. «Das ist doch klar. Die will sicherstellen, dass ich nicht aus dem Haus kann und vielleicht jemanden dazuhole, der bei klarem Verstand ist. Und sie will auch nicht, dass ich umhertelefoniere derweil. Ilse, ihr müsst wirklich mal diese Ratgebersendung für Senioren angucken, Kurt weiß ja überhaupt nicht Bescheid!», schimpfte ich, aber Ilse nestelte nur an ihrem Taschentuch und murmelte in einem fort: «Wenn das mal gutgeht, wenn das bloß gutgeht!»

Ich hielt nun den Moment für gekommen, die Polizei

zu informieren. Sicher, von allein machen die nix, und man muss denen ein bisschen auf die Sprünge helfen. Aber wenn es hart auf hart kommt, was sollen wir ollen Leute da schon ausrichten? So einen wackeligen Zausel wie Kurt drücken die doch einfach zur Seite, auch wenn Kurt für sein Alter bestimmt gut beieinander ist. Und von uns Omas wollen wir gar nicht reden. Die weinerliche Ilse, zart wie ein Gänseblümchen, und ich mit meiner Ersatzhüfte. Höchstens Gertrud. Die würde die Verbrecher – wenn es Männer wären – bestimmt mit ihrer aufgeknöpften Bluse in die Flucht schlagen, aber das Risiko wollte ich nicht eingehen. Nee, nee, da mussten Fachkräfte ran. Wozu haben wir denn die Polizei? Ich zahle schließlich Steuern! Die würden mit der Archivierung unserer Kreidezeichnung auf dem ALDI-Parkplatz hoffentlich fertig sein, hihi. Ich tippte auf dem Schmartfon auf «Kommissar Lamprecht», und nach acht oder zehn Mal Tuten meldete er sich schon.

«Hauptkommissar Lamprecht, 14. Revier?», knurrte er in die Sprechmuschel.

«Hier spricht Renate Bergmann, guten Tag, Herr Lamprecht. Jetzt weiß ich nicht, ob Sie sich noch auf mich entsinnen. Ich war letzthin mit meiner Freundin Lotte Lautenschl…»

Er unterbrach mich unwirsch. «Die Enkeltricktomas. Ja, wie könnte man Sie vergessen, Frau Bergmann? Sie sind doch die mit dem Internet. Ihnen habe ich es zu verdanken, dass ich nu jeden Morgen E-Mails lesen muss.»

«Das ist auch nicht das Schlechteste, Herr Lamprecht. So sind Se immer auf dem Laufenden und müssen nicht zum Postkasten runter. Aber darum geht es jetzt nicht.»

Ich pustete noch mal durch, bevor wir nun zur Sache kamen.

«Passen Se auf. Sie wollten ja nichts unternehmen wegen der Halunken, die der Lotte das Sparkassenbuch leergeräumt haben.»

Er fing an zu lamentieren, von Kapazitäten und viel zu tun und Prioritäten … ich hörte ihm nicht allzu lange zu, schließlich war hier Gefahr in Verzug. Außerdem hatte er mich auch unterbrochen, der unhöfliche Daps, da hatte ich einen gut.

«Herr Hauptmann, passen Se auf, ich habe hier so eine Trickbetrügerin an der Strippe. Die ruft schon den ganzen Nachmittag auf dem Haustelefon an, es ist die gleich Masche wie bei der Lotte Lautenschläger», kam ich gleich zum Punkt. «Ich bin nicht allein, nein, meine … also, das gesamte Einsatzkommando ist hier, hihi ….»

Mein Blick schweifte über Kurt, der in seinem Geigenkasten nach einem Brillenputztuch suchte, und Ilse, die mit dem Taschentuch zur Ablenkung über meine Anrichte ging. Ich war ganz einverstanden damit. Eigentlich war ja alles reine, ich wische jeden Sonnabend mit Fitwasser und poliere anständig, aber wissen Se, Verbrechen hin oder her – wenn hier gleich die Polizei käme, wollte ich doch sicher sein, dass alles blitzsauber ist. Was macht das denn sonst für einen Eindruck? Außerdem könnte man so die Fingerabdrücke besser

nehmen, falls einer der Halunken wider Erwarten hier-
herkäme und an die Schrankwand tatschte, zumindest.
Wobei: Fingerabdrücke, pah. Schmutz ist Schmutz. Ich
würde mich schon sehr zusammennehmen müssen, da
nicht gleich feucht nachzuwischen.

Gertrud fütterte Norbert mit Leckerli, damit er
abgelenkt war und mir nicht wieder in die Ermittlerei
kläffte.

«Aber Herr Lamprecht, selbst wenn wir alles unter
Kontrolle haben», fuhr ich fort, «Herr Lamprecht, was
ich sagen will, ist: Ich glaube, wir stehen kurz vorm Zu-
griff. Die falsche Enkelin will gleich wieder durchrufen
und bekanntgeben, wie viel Geld es genau sein soll und
wann sie es abholen kommt. Ich finde, spätestens dann
sollte die Polizei zugegen sein.»

Auch wenn ich seit 1967 keine Folge «Aktenstapel
XY» verpasste hatte, erst mit dem Ganoven-Ede, später
mit dem muffeligen Rechtsanwalt und nun schon lange
mit dem Schlittschuh-Rudi, wurde mir das jetzt zu gefährlich. Eine Renate Bergmann weiß, wann man sich
besser Hilfe an die Seite holt. Schließlich lag Gefahr in
der Luft, wir hatten es mit einer professionellen Bande
zu tun, die geschult und bestimmt sogar gewaltbereit
war.

Kaum hatte der Lamprecht sich gefasst und kam mit
seinem Vortrag, wie ich mich zu verhalten hätte, um die
Ecke, da schellte schon wieder das Haustelefon. «Alles
klar, Herr Kommissar», sagte ich und musste fast ein
bisschen lachen, weil Gertrud sich für ganz besonders

schlau hielt und leise anfing zu singen: «Da, dideldum, hahahaha – der Kommissar geht um …» Als wenn das noch nicht albern genug war, hatte Kurt noch einen draufzusetzen: «Das heißt nicht ‹da, dideldum›», merkte er an, «das heißt ‹drah di ned um›. Das ist Wienerisch.»

Wir guckten uns alle verblüfft an. Nicht nur, weil wir staunten, woher Kurt so was weiß, sondern vor allem, weil wir das bisher beim Rentnerfasching wohl alle immer falsch mitgesungen haben. Sie auch, oder? Sehen Se, bei Renate Bergmann kann man noch was lernen!

«Nun muss ich aber auflegen, Herr Amtsvorstand. Es bimmelt auf dem anderen Apparat. Das isse bestimmt wieder, die gibt mir jetzt durch, wie viel sie will und wie es weitergeht. Ja, ich halte sie hin, so gut es geht, und Sie machen sich jetzt besser mal auf den Weg. Aber unauffällig, ohne Tatütata und Uniformierte, sondern in Zivil, sonst können wir uns die ganze Mühe gleich sparen. Und sprechen Sie das mit dem Fräulein Becker ab!» Nach dem, wie ich den kennengelernt hatte, hatte ich den Eindruck, er wäre ganz brauchbar, aber man müsste ihm deutlich sagen, was er zu tun hat. Bei der kleinen Becker hatte ich ein gutes Gefühl, die würde den Lamprecht einnorden.

Ich tippte auf «Auflegen» und eilte an den anderen Hörer, den vom Haustelefon. Eine Aufregung wie in der Vermittlung, sage ich Ihnen! Kennen Se noch die Fräuleins vom Amt, die immer umstöpseln mussten in der Post, wenn man ein Ferngespräch wollte? So ungefähr kam ich mir vor.

Wie ich es ahnte, das jungsche Ding war wieder dran. «Oma, das hat aber lange gedauert, bis du rangegangen bist. Was ist denn los? Bist du allein?»

Das war wohl ihre größte Sorge, dass ich nicht allein war!

«Du weißt doch, dass Omi es an der Hüfte hat, Jennifer. Wenn ich von der Küche bis an den Apparat in der Diele muss, dauert es eben seine Zeit», sprach ich leidend.

Sie berichtete, dass sie nun mit dem Notar einig war. Sie könnte die Wohnung kaufen, ein wahres Schnäppchen, man stelle sich den Glücksfall nur mal vor! Allerdings ginge nur alles glatt über die Bühne, wenn die Anzahlung noch heute beim Notar hinterlegt würde, sonst wäre die einmalige Schangse durch die Lappen, und das wäre ärgerlich.

«Was ... wie viel ... ich meine, Oma, was könntest du mir denn leihen? Nur bis morgen, ganz kurzfristig», fragte das Aas scheinheilig.

«Oma ist keine Arme, mein Kind. Ich habe immer sparsam gelebt und jeden Groschen zweimal umgedreht. Ihr könnt mich dereinst in Ehren unter die Erde bringen, und es ist trotzdem noch ein bisschen was übrig.» Ich senkte die Stimme und flüsterte leise in den Hörer: «Gute 16 000 habe ich auf dem Sparbuch, Jennifer! Aber erzähle das nicht deiner Mutter, die steht sonst morgen hier auf der Fußmatte und will die Puseratzen haben. Du weißt ja, dass die nicht mit Geld umgehen kann!»

«16 000 ... das ist gut, Oma. Damit komme ich hin. Wenn du mir 15 000 leihen könntest? Morgen ist der

Kredit bei mir durch, und dann bekommst du es gleich zurück.»

Dieses Luder. Die wollte wirklich fast ALLES und mir nur ein paar Krumen lassen. Das machte mich noch wütender. Wissen Se, wenn die nun gesagt hätte, ich soll ihr wegen meiner 5000 geben, das wäre schlimm gewesen, ohne Frage. Betrug und verabscheuungswürdig und alles, aber dass die quasi mein gesamtes Erspartes wollte, das zeigte, welche Bosheit und Hinterhältigkeit da am Werk war. Denen gehörte ein Strick gedreht, im Kittchen sollten die einsitzen, allesamt! Die ganze Bande, und wenn es nach mir ginge, bis zum Ende ihrer Tage!

Ich war SO wütend! «Jennifer, mein Kind. Du musst mir aber wirklich versprechen, dass du mir das zurückgibst. Das ist alles, was ich habe! Wirklich alles. Mein Notgroschen, wenn mal was ist. Davon will ich unter die Erde gebracht werden. Das kann ich dir nur leihen, nicht schenken.»

«Ja, Oma», maulte das Ding genervt, «ich sage doch, morgen zahlt die Bank den Kredit aus, und du kriegst es zurück, per Blitzüberweisung.»

Bei «Blitz» zucke ich ja immer zusammen. Da muss ich an Gewitter denken. Aber das ging jetzt nicht.

«Hast du das Geld in bar da?», erkundigte sie sich. Wahrscheinlich hatten die uns ja beobachtet auf der Sparkasse, wie ich bei Knete-Grete im Reiche-Leute-Raum war. Sonst hätten die doch hier nicht angeschellt! Aber da die Polizei ja noch nicht da war, wollte ich Zeit gewinnen und verneinte. «So viel Geld, Kind! Das ist doch gefährlich! Wenn hier Einbrecher kommen? Nee, das ist sicherer auf dem Sparbuch. Ich war in den letzten Tagen erst da und habe was eingezahlt.» Damit war se erst mal zufrieden.

«Dann gehst du am besten jetzt gleich zur Bank. Sofort!» Sie wurde richtig scharf im Ton und gab forsche Anweisungen wie Fräulein Tanja, unsere Übungsleiterin bei der Wasserdisko. Ich musste mich ganz schön zusammenreißen, um der Dame nicht ordentlich die Meinung zu sagen. Aber ich wollte ja mitspielen und blieb deshalb die liebe Omi.

«Sag denen aber nicht, wofür du es brauchst!», mahnte sie noch. «Die haben jetzt neue Gesetze, und wenn du erzählst, dass es für deine Enkelin ist, behalten die die Schenkungssteuer zurück. Das muss nicht sein. Die geht das gar nichts an, wofür du dein Erspartes brauchst, und wenn sie doch fragen, sagst du, du willst dir ein Auto kaufen.»

Ich sage Ihnen, die machte ihre Sache nicht schlecht. Ich kann alte Menschen, die auf so was reinfallen, durchaus verstehen. Man ist nicht dumm, wenn man betrogen wird. Verurteilen Se die alten Leutchen bitte nicht. Die Verbrecher sind so überzeugend mit ihrer Masche, dass es wirklich jeden treffen kann. Und einen Druck bauen sie auf, dass ich mir bald wie vor einem hohen Gericht vorkam.

Ich sicherte ihr zu, dass ich mich auf den Weg machen würde, und sagte auch gleich, dass es eine gute halbe Stunde dauern würde. Schließlich wäre meine Hüfte frisch gemacht.

«Du musst dich beeilen, Oma. Um 16 Uhr muss ich das Geld in bar beim Notar vorlegen, sonst verstreicht die Frist. Du kannst ruhig so gehen, du musst dich nicht umziehen!», schimpfte sie.

«Nein, mein Kind, du kennst die Oma. Wenn ich auf die Straße gehe, dann im guten Kostüm. Was sollen denn die Leute denken? Und die auf der Sparkasse erst. Du sagst doch, ich soll nichts verraten, aber was glaubst du, wie die gucken, wenn ich da in Räuberzivil aufschlage? So kennen die mich ja gar nicht! Da werden die stutzig und fragen nach. Nee, nee. Ich ziehe mich um.» Richtig stolz war ich, dass mir das eingefallen war. Dagegen konnte se so schnell nichts sagen, außer dass sie sich wieder melden würde.

Die nächste halbe Stunde bimmelte es in einer Tour. Wir gingen aber nicht dran, schließlich sollte die denken, dass ich wirklich auf die Sparkasse gegangen war. Die wollte Kontrolle machen und auf Nummer sicher gehen, ach, das war eine ganz Ausgebuffte und mit allen Verbrecherwassern gewaschen noch dazu. Das ewige Gebimmel machte Norbert ganz verrückt, er bellte am laufenden Band und tobte auf der Stelle im Kreis und versuchte, sich in den Schwanz zu beißen. Ein selten dämlicher Hund, sage ich Ihnen. Ich brachte den Fernsprecher in die Schlafstube und deckte ihn mit einem dicken Kissen zu, das Kabel ist ja lang genug. Ich habe damals extra 12 Meter genommen von der Post, was

8 Mark Aufpreis pro Monat gekostet hat. So halte ich auch die Kartoffeln warm, wenn die Gäste mal zu spät sind, oder koche Reis – ab unters Deckbett. Probieren Se das gern mal aus!

Wir hatten nunmehr Ruhe, und Norbert hatte nach ein paar Runden auch begriffen, dass er seinen Schwanz nicht würde zu fassen kriegen, oder aber er hatte einfach keine Puste mehr, wer weiß das schon? Ilse, Gertrud und Kurt hatten derweil eine diebische Freude daran, Geldscheine aus Zeitung zu schneiden. Wissen Se, zwar trug ich unser altes Bündel seit Wochen durch Spandau und hatte es noch, aber die drei waren so guter Dinge, dass ich sie machen ließ. Ich suchte für Kurt einen großen braunen Umschlag. Wir überlegten, wie viele Zeitungsschnipsel denn wohl ungefähr 15 000 Euro entsprechen würden. Keiner von uns hatte je so viel Geld in den Händen gehabt! Wir entschieden uns für zwei Stapel, die gut in der Hand lagen. Ich schob das Papier in den Umschlag, leckte ihn an und klebte ihn zu. Hihihi, die würde Augen machen, wenn die den öffnete! Zu schade, dass ich nicht dabei sein konnte. Ich schrieb «Für Jennifer, persönlich und vertraulich. Von deiner lieben Oma» drauf. Es war ja ganz klar, dass als Nächstes eine Ausrede kommen würde, dass nicht sie das Geld würde abholen können, sondern ein Freund oder eine Freundin nach dem Geld schickte. Ich bitte Sie, wer auch nur eine Sendung «Täter, Opfer, Polizei» gesehen und aufgepasst hat, der weiß doch Bescheid!

Ich spendierte allen einen Beruhigungskorn. Der tat not! Das Bimmeln des Telefonapparates drang ab und an gedämpft aus der Schlafstube zu uns. Die kontrollierten wirklich genau, ob ich wohl aus dem Haus gegangen war. Kanaillen!

Nach 40 Minuten ging ich wieder ran.

«Hier spricht Bergmann, hallo?», keuchte ich.

«Oma! Da bist du ja endlich.»

«Ich habe mich so beeilt, mein Mädchen. Ganz aus der Puste bin ich, und die Hüfte schmerzt, ach, du kannst es dir gar nicht vorstellen. Ich muss mich gleich mit Franzbranntwein einreiben. »

«Hast du das Geld?»

Wirklich herzlos, das Luder! Sie hätte ja wenigstens ein bisschen Mitleid spielen können, aber wahrscheinlich war die Liste der alten Damen, die sie heute um ihr Erspartes bringen wollte, noch länger.

«Ja, natürlich, Jennifer. Wie abgemacht!»

«Wie viel?»

«Wie es abgesprochen war, 15 000 Euro. Ach, die …» – ich überlegte schnell einen falschen Namen – «die Annemarie von der Sparkasse, du weißt doch, die große Dürre, die Tochter von Inge Spicknadel, die ist ja jetzt bei der Sparkasse …»

«Jajajaja», unterbrach mich das Ding unwirsch und fragte weiter: «Was für Scheine hast du dir denn geben lassen?»

Ich überlegte kurz, was das nun wieder sollte, und grübelte, was man darauf wohl sagt.

«Ich dachte, Hunderter sind am praktischsten? Weißte, da hat man nicht so viel zu zählen, aber es fragt auch nicht gleich jeder nach dem Ausweis, wenn man damit bezahlt.»

Kennen Se das? Wenn man ausnahmsweise mal einen großen Schein hat, beleuchten die den immer erst mit US-Licht, wollen den Ausweis sehen und holen die Scheffin an die Kasse. Kleingeld wollen sie nicht, aber wenn man mit einem großen Schein kommt, ist es auch nicht richtig!

«Das ist super, Oma. Und wie viele sind es?»

«Jennifer, also wirklich. Die Annemarie hat es mir gleich in den Umschlag getan, was weiß denn ich? Aber rechne mal schnell, 150 Scheine müssten es sein.» Was die wohl wollte?

«Ja, du, es ist so … ich muss die Geldscheinnummern hier für den Notar in eine Liste eintragen. Kannst du mir die sagen?»

Jetzt wurde es mir endgültig zu bunt. Wissen Se, man ist ja aufgeregt in so einer Situation, und dann kommt die mir mit so einem Quatsch? Hinterher hat mir die Polizei erklärt, dass die solche Fragen stellen, um sicherzugehen, dass die ollen Leute das Geld tatsächlich im Hause haben.

«Du weißt doch, dass Oma nicht mehr so gut gucken kann. Warte, ich muss mir erst die Lesebrille aufsetzen.»

Derweil ich sie hinhielt, holte Gertrud meine Rente aus dem Schlafstubenschrank. Wissen Se, ich hole mir immer in bar, was ich für den Monat brauche. Gläsers und ich fahren meist am Monatsersten mit dem Koyota hin, dann ist schon gebucht. Die Kontoauszüge kann man sich gleich mitnehmen, so hat man einen guten Überblick. Die Leute, die überall mit Karte bezahlen und abbuchen lassen, ja, die wundern sich, dass ihr Geld nicht reicht! Nee, ich lege mir in bar zwischen die Tischwäsche, was ich über den Monat zur Verfügung habe. Wenn es alle ist, ist es alle, dann gibt es eben ab Monatsmitte keinen Lachs mehr, sondern nur noch Hering. Wunderbar. Das hat noch keinem geschadet, mit dem auszukommen, was man zum Ausgeben hat! Gertrud kennt natürlich mein Versteck. Einer muss ja Bescheid wissen, wenn mal was ist. Nicht, dass die meine Barschaft zusammen mit den Geschirrhandtüchern zur Mission geben! Ich habe auch immer zwanzig Euro in Fünfern daliegen, damit sie den Sargträgern was zustecken kann, wenn sie mich aus der Wohnung tragen. Nicht, dass die die Kiste lustlos durch den Flur schleppen und ich da noch rauspurzele wie Gottfried Schimmelhahn. Überall Blutergüsse hatte der, weil sie ihn im Treppenhaus aus dem Sarg haben fallen lassen, sie konnten nicht mehr aufbahren!

Gertrud kam mit zwei Hundertern, und ich las, so langsam ich konnte, die Buchstaben und Zahlen vor. Beim ersten Schein sagte ich es noch richtig, beim zweiten machte ich absichtlich einen Fehler, um zu testen, ob sie was merkte. Das tat sie aber nicht, hihi. Ich war ihr wohl auch zu langsam, denn sie brach die Sache ab und sagte, dass es nun gleich so weit wäre und sie käme, um das Geld abzuholen. Sie müsse aber nun noch zur Bank, um das mit dem Kredit zu klären.

Ich räumte meine Barschaft wieder zurück in den Schlafstubenschrank. Schließlich wusste keiner, was hier heute noch alles passieren würde. Ich fragte mich auch, wo die von der Polizei wohl blieben. Langsam müssten die nun mal in die Pantinen kommen, selbst wenn der Lamprecht nicht der Fixeste war. Ach, es war eine Aufregung.

Da schellte der Apparat, und das Verbrecherliebchen war wieder dran.

«Oma, ich bin jetzt auf der Bank. Das hat geklappt mit dem Kredit, alles gut! Ich kann dir das Geld gleich überweisen.»

Ich fragte nach, warum sie es sich nicht auszahlen lässt, wissen Se, dann hätte man sich den ganzen Zinnober mit der Bargeldleihe von mir ja sparen können. Sie wich aus und faselte was von Buchgeld, Valuta und dass es nicht ginge, es hätte schon seine Richtigkeit so, und ich sollte ihr meine Kontonummer geben.

Na, so weit kommt es noch! Das habe ich einmal gemacht, als ich das Händi neu hatte. Drei Jahre lang haben se jeden Monat abgebucht, und das alles für Klingeltöne und sprechende Kaffeetassen, die ihren Namen tanzten. Ich gebe keine Kontonummer mehr raus und schon gar nicht die neuen langen vom IWAN. Bis man da durchbuchstabiert und die Nullen richtig gezählt hat, wissen Se, nee! Selbst mit Lesebrille kommt es in der Hälfte der Fälle nicht hin, und man schreibt über das Kästchen, oder es bleibt eins frei.

«Jennifer, warte, Oma muss die Schipskarte suchen. Ich habe die Konto-IWAN nicht im Kopf», hielt ich sie erst mal hin.

Da staunte ich ja mal wieder über Ilse, die meist ängstlich ihr umhäkeltes Taschentuch krallt. Aber wenn es drauf ankommt, isse da: Sie kramte aus den Weiten ihrer Handtasche einen Brief vom Finanzamt. Wichtige Dokumente haben wir in einem solchen Fall alle dabei! Sie hielt mir den Schrieb unter die Nase, den Zeigefinger auf der Kontonummer. Ich gab sie der falschen Jennifer durch und musste mir ein Kichern verkneifen. Kennen Se das, wenn man lachen muss, aber nicht darf? Dann muss man erst richtig! Es ist fast wie mit Austreten. So ähnlich ging es mir jetzt. Es war zu komisch, denken Se sich nur: Ich gab der die Kontonummer vom Finanzamt durch, hihihi!

Das Verbrecherluder hörte brav zu und tat so, als würde es alles aufschreiben. Es war ja schon ganz klar, dass sie das nicht tat. Im Grunde hätte ich ihr auch die Sterbetage meiner Männer durchgeben können.

Sie sprach, sie würde sich gleich wieder melden, und legte auf. Wissen Se, langsam ging mir das auf die Geduld. Das zog und zog sich! Hinterher hat die Polizei meinen Anschluss überprüft und genau nachgezählt, es waren zweiunddreißig Anrufe an diesem Nachmittag. Es war richtiger Telefonhorror, sage ich Ihnen! Terror. Also, Telefonterror, so ist es richtig. Die machen das, damit man nicht zum Überlegen kommt. Man soll keinesfalls Hilfe holen oder jemanden anrufen können.

Ilse brühte uns die nächste Runde Bohnenkaffee auf – Blutdruck und Gemecker der Doktern hin oder her, das war heute eine Ausnahmesituation. Da musste das sein, dafür würden wir morgen brav bleifreien Kaffee oder Pfefferminztee trinken. Gertrud schnitt die Eierschecke.

Ich holte die Sammeltassen aus dem Glasschrank. Schließlich würde die Polizei gleich noch kommen, da darf schon das gute Geschirr auf der Tafel stehen und nicht die angeschlagenen Alltagstassen. Mein Meißen hüte ich wie meinen Augapfel. Letzthin, ich glaube, es war nach dem Geburtstagskaffee der kleinen Lisbeth, wollte Ariane die tatsächlich in die Geschirrwaschmaschine räumen, denken Se sich diesen Frevel nur! Ich konnte gerade noch einschreiten. «Meißen und Miele verträgt sich nicht, Ariane, merk dir das doch mal!», mahnte ich zum – ach, was weiß ich wievielten – Mal. Ich werde nicht ruhen, bis die das gelernt hat.

Ich legte sogar das handgewebte Tafelleinen von Tante Meta auf. Es hat zwar eine angesengte Stelle, weil Hilmar damals auf Walters Geburtstag das Teelicht vom Kaffeewärmer umgeschmissen hat, als er uns zeigen wollte, wie groß der geangelte Karpfen war, aber trotzdem machte es noch was her. Ich stelle immer die große Kuchenplatte auf den Fleck. Die fasst keiner an, sonst gibt es was auf die Finger.

Wir waren noch nicht richtig fertig mit Tischdecken, da läutete es an der Haustür, just im wohl unpassendsten Moment. Ich erschrak regelrecht. Auch Ilse und Kurt zuckten zusammen, und Gertrud stellte Norbert geistesgegenwärtig ruhig. Ich sage Ihnen aber nicht, wie.

Wir scheuchten Kurt zur Sprechanlage, aber wissen Se, mit seinen Augen könnte da eine Folge Kommissar Rex laufen, und es fiele ihm nicht auf. Ich ging also hinterher und schob ihn sachte beiseite.

Vor der Tür stand das Fräulein Kommissarin und der Lamprecht, beide in Zivil. Ich ließ mir daher die Ausweise zeigen. Einer Renate Bergmann wirft keiner Leichtsinn vor! Wir waren alle sehr froh, dass wir nun nicht mehr allein waren und die Polizei uns beistehen würde. Schließlich spitzte es sich hier zu, und wer weiß schon, wozu solche Banden fähig sind? Die Schnepfe, die am Telefon die Enkelin spielte, war ja nicht allein. Solche Banditen operieren immer organisiert.

Aber zunächst brachten wir die Beamten bei Kaffee und Kuchen auf den aktuellen Stand. Ich schilderte so knapp wie möglich, was bisher geschehen war, wobei mich Gertrud immer wieder unterbrach und Dinge erzählte, die wirklich nichts zur Sache taten. Herrje! Dass wir den Anruf durch den Bankbesuch überhaupt erst provoziert hatten, ließ ich erst mal weg. (Und die Kreide vor dem ALDI erst recht.) Das gäbe nur Gemecker und lenkte ab, und beides brauchten wir nicht. Die Kommissarin Melanie nickte: «Das klingt alles nach der Frackmann-Bande, Herr Lamprecht. Das sind die! Und wir haben die Chance, sie zu schnappen!» Der

Lamprecht stammelte: «Den Namen habe ich schon mal gehört, aber so konkret ... also ...»

Der Kleinen ging fast die Hutschnur hoch. «Die Frackmann-Bande, Herr Lamprecht, konzentrieren Sie sich doch mal. Das ist die größte im Enkeltrick-Bereich operierende Bande! An denen sind das BKA, die Landespolizei und sogar Interpol dran! Seit ein paar Wochen sind die auch in Spandau unterwegs. Lesen Sie denn keine E-Mails? ACH!?» Sie machte eine lange Pause und schob ein «Ist schon in Ordnung» nach. Das müssen Se sich mal merken, wenn eine Frau sagt: «Es ist schon in Ordnung» oder «Es ist jetzt egal» – legen Se die Ohren an und sehen Se zu, dass Sie Land gewinnen! Männer tun das aber meist nicht. Da möchte man oft gern eingreifen und helfen, aber das wird einem dann doch wieder ungünstig ausgelegt.

«Möchten die Kommissare denn vielleicht noch einen Kaffee?», fragte Ilse diplomatisch dazwischen, um die Wogen zu glätten. «Ich brühe gleich noch mal frischen auf.» Sie wartete die Antwort gar nicht ab, sondern nahm die Kaffeekanne und ging in die Küche.

Da klingelte das Telefon wieder. Ich drückte auf LAUT, damit die Beamten mithören konnten. Nee, wie man bei klarem Kopf bleibt, wenn es drauf ankommt. Fein. Das kam sicher vom Korn, den wir zu Beruhigung ... Aber nun.

«Bergmann, Spandau?», sprach ich so gelassen wie möglich in den Hörer.

«Sparkasse Spandau, Müller am Apparat.»

Nanu. Einen Herrn Müller hatten die überhaupt nicht! Jetzt wurden die Banditen aber stümperhaft. Als ob eine Renate Bergmann nicht jede einzelne Sörvisskraft im Kiez mit Namen kennt und weiß, wo sie wohnt, ob sie verheiratet ist und was für ein Auto sie fährt. Ha!

«Frau Bergmann, ich habe hier eine Überweisung für Sie. Es sind 15 000 Euro angekommen, die wir gerade auf ihr Konto buchen. Da wollte ich nur fragen, ob das in Ordnung ist, ob Sie die Zahlung erwarten?»

«Jaja. Das hat seine Richtigkeit. Buchen Se nur und passen Se mit der Kontonummer auf!»

Den kleinen Spaß konnte ich mir nicht verknusen. Aber böse war ich auch: Das schlug doch dem Fass den Boden aus! Nee, so eine Frechheit. Jetzt wollten die mir weismachen, dass das Geld schon wieder zurückbezahlt war und ich es ihnen geradezu schuldete! Wissen Se, ich bin bestimmt nicht auf den Mund gefallen, aber da war selbst ich sprachlos. Zwar nur kurz, aber sprachlos.

«Eindeutig die Handschrift der Frackmann-Bande, da gibt es keinerlei Zweifel», warf die jungsche Beckern ein. Sie wischte wie wild in ihrem Händi rum und suchte den Imehl vom BKA.

Lamprecht nahm gerade das zweite Stück Eierschecke ins Visier, das Gertrud ihm kühl auf den Teller gehoben hatte. Sie war noch immer beleidigt wegen der Sache mit der Schlode, verhielt sich aber sachlich. Kommissarin Becker versuchte, ihn mit Blicken darauf aufmerksam zu machen, dass sich ein weiteres Stück

Kuchen eigentlich nicht gehörte, aber der war für dezente Hinweise nicht empfänglich. Bei dem reichte es nicht, mit dem Zaunpfahl zu winken, dem müsste man mit dem Knüppel schon einen Ditsch auf den Kopp geben.

Wieder läutete der Telefonapparat, und wieder war nicht die falsche Enkelin dran. Ich begann schon fast, sie zu vermissen. Nee, dieses Mal war es ein Herr, der sich als Polizist ausgab. Die Kommissare konnten ja mithören und kriegten vor lauter Staunen bald den Mund nicht mehr zu.

«Ja, hier ist Kommissar Breitenbach. Sie hatten bei uns angerufen?»

Die gingen wirklich auf Nummer sicher und stellten einem eine Falle nach der anderen. Ganz eine ausgefeilte Masche war das, da muss man schon wirklich helle sein, um denen nicht ins Netz zu gehen. Stellen Se sich mal vor, ich wäre nicht geistesgegenwärtig genug gewesen und hätte gesagt: «Ja, Herr Breitenbach, alles in Ordnung, die Kommissare Becker und Lamprecht sind schon hier, machen Se sich keine Sorgen, wir haben alles im Griff.» Dann wäre die ganze Operation doch noch geplatzt, die hätten aufgelegt, und ich hätte nie wieder was von denen gehört. Sicherlich wäre uns nichts passiert, aber die wären uns durch die Lappen gegangen. Und wir hatten das ja alles nicht zum Spaß eingefädelt, sondern um die hinter schwedischen Gardinen zu sehen! Eine Renate Bergmann aber blieb auch in dieser Situation auf Zack.

«Ich? Ich habe nicht die Polizei gerufen. Da müssen Se sich verwählt haben, Herr Wachtmeister.»

«Aber so habe ich es hier stehen, Frau Fendrich.» Er war schon wieder auf dem Rückzug.

«Sehen Se: Ich heiße gar nicht Fendrich! Sie haben sich bestimmt verwählt. Hier ist Renate Bergmann, und nun machen Se bitte die Leitung frei, ich erwarte einen dringenden Anruf meiner Enkelin.»

Ich legte mit Schwung den Hörer auf die Gabel und schüttelte den Kopf. Mir wurde es jetzt langsam zu bunt. Das ging nun schon seit Sunden!

Die Beckersche meinte, dass ich fabelhaft reagiert hätte, und mir keine Sorgen machen sollte. Es könnte nichts passieren, die Polizei wäre ja jetzt hier. Die Kleine kam frisch von der Schule und hatte da sogar Tsychologie und Trösten gelernt, da konnte man nicht meckern. Ich sollte nur sagen, wenn es nicht zu schaffen sei, wir könnten jederzeit abbrechen. Aber ich würde der Allgemeinheit einen großen Dienst erweisen, wenn ich den letzten Schritt nun auch noch gehen und bei der entscheidenden Falle mitwirken würde. Wie eine Politikerin hat se geredet. Das gefiel mir.

Ich atmete tief durch. «Das bringen wir zu Ende!», sagte ich. Gertrud hielt mir den Flachmann entgegen. Vor der Polizei, denken Se sich das mal! Ich lehnte lächelnd ab. Da guckte meine Trudchen, ha. Lamprecht jedoch griff beherzt nach dem Flachmann, was ich nach dem mittlerweile – wenn ich richtig gezählt hatte – vierten Stück Eierschecke auch gut verstand.

Beim Lamprecht arbeitete sich gerade das Bäuerchen nach oben, als das Telefon erneut schellte. Zur Abwechslung war die angebliche Enkelin mal wieder dran.

«Oma, hallo», sagte se, nachdem ich meinen Namen in die Sprechmuschel gesagt hatte. «Ich bin jetzt schon beim Notar. Die Sache eilt, ich kann hier nicht mehr weg. Hör genau zu und mach, was ich dir sage, ja? Es geht jetzt um jede Minute!»

«Jaja, mein Mädelchen. Ich will doch nicht, dass noch was schiefgeht. Dir steht das Geld ja zu, denk dir nur, die Bank hat angerufen, es ist schon wieder auf meinem Konto.»

«Das ist ja schön, dass das so schnell ging. Siehst du. Aber nun pass auf», fuhr sie fort, «ich kann hier nicht mehr weg. Der Notar liest mir schon die Verträge vor, und das dauert. Wir schicken die Sekretärin.»

Genau so hatte ich es mir gedacht. Irgendjemanden musste sie vorschicken, sie selbst konnte ja nicht. Schließlich habe ich gar keine Enkel und hätte wohl einer fremden Person, die Oma zu mir sagt, nicht mein Erspartes in die Hand gedrückt. Nach Lottes Vorfall hatte ich jedoch mit einer «guten Freundin» gerechnet. Sehen Se. Die Sekretärin aus dem Notariat war allerdings eine gute Idee, das muss man schon zugeben. Die kleine Beckern hatte auch schon ganz rote Pusteln auf den Wangen und guckte erwartungsfroh. Jetzt ginge es ja erst richtig los.

«Genau, Jennifer, so machen wir es. Kommt das Fräulein her?», fragte ich nach.

«Nein, Oma, das wird zu knapp. Komm du mal bitte mit dem Geld auf den Marktplatz. Die Frau König spricht dich dann an.»

So lief das also! In die Wohnung zu kommen war ihnen zu gefährlich, weil hier eine Verhaftung natürlich viel einfacher war. Die gingen auf Nummer sicher. Die beiden Kommissare Becker und Lamprecht (der mit Eierschecke, Korn und Bäuerchen durch und wieder einsatzfähig war) nickten sich jedoch kurz zu – die hatten offenbar einen Plan. Das Fräulein Becker flüsterte was in ein Wokkietokkie, was ich nicht verstand, aber es war ja auch egal. Die würden das schon machen.

«Mach dich auf den Weg, Oma, es geht um Minuten. Komm an die Litfaßsäule am Markt, so schnell du kannst. Frau König erwartet dich. Und vergiss das Geld nicht.»

«Oma ist ja nicht blöd, Jennifer.» Dass die mich immerzu als dröselige olle Tante hinstellte, ärgerte mich. Wenn das wirklich meine Enkelin gewesen wäre, na, der hätte ich aber was erzählt!

«Einen kleinen Moment dauert es schon. Ich muss mir noch die Thrombosestrümpfe anziehen», versuchte ich ein bisschen Zeit zu schinden. Ich wusste zwar nicht, was genau die Polizei vorhatte, aber es konnte nicht schaden, ein paar Minuten mehr Luft zu haben.

«Jaja, Oma, aber beeil dich. Tschüss», sprach das Luder und knallte den Hörer auf.

Nun war die Stunde der Entscheidung gekommen. Die Frau Polizeihauptmann erklärte mir, dass auf dem ganzen Marktplatz Zivilpolizisten positioniert sein würden, die auf mich aufpassten. Die würden die falsche Königin und hoffentlich noch ganz viele Hintermänner fassen. Ilse verlangte, dass ich eine schussichere Weste angezogen bekomme, aber alle anderen hielten das für Quatsch. Die wollten schließlich nur das Geld und nicht mich. «Frau Gläser, Enkeltrickbetrüger trachten alten Damen nicht nach dem Leben, nur nach ihrem Geld.» Ilse ist eben übervorsichtig und war sehr aufgeregt und in Sorge um mich, die Gute. Sie guckt keine Krimis, wissen Se, und hat auch sonst nicht viel Erfahrung mit Verbrechen. Das Schlimmste, was der mal passiert ist, war, dass in der Schule zwei Mark in der Milchgeldkasse fehlten. Und die waren nicht gestohlen, sondern nur in den Kreidekasten gekullert, wo die Reinemachefrau den Taler abends wiedergefunden hat.

Nunmehr bekam ich lauter Strippen umgebunden. Eine Wanze! Mikrofon und Lautsprecher tütterten sie mir um, damit jedes Wort, was ich sprach und was die Geldbotin sagen würde, mitgehört werden konnte. Gott sei Dank hatte ich mit den angeblichen Thrombosestrümpfen noch ein paar Minuten Luft für uns geschunden, das dauerte nämlich seine Zeit, sage ich Ihnen! Die zogen mir Schnüre durch den Unterrock und das Miederhöschen. Oben am Ausschnitt lugte alles wieder raus. Auf die Hüfte hängten sie mir einen Sender. Ich hatte Sorge, dass meine Ersatzhüfte vielleicht den Empfang stört. Die ist aus Titan, wissen Se. Ich sagte es lieber, nicht, dass es am Ende Probleme gab, und wer war dann schuld? Ich! Ich weiß noch, im Feierabendheim «Dämmerstunde» gab es nie Probleme mit dem Fernsehempfang. Erst als Herr Bisslamper einzog, ging es los. Der hatte im Knie eine kleine Platte aus Titan, und seit der da wohnte, konnte das ganze Heim kein PRO7 mehr gucken, es war nur Schnee und Krissel auf dem Bildschirm. Es ging erst wieder, als der Hausmeister eine Zusatzantenne angelötet hat. Wie dem auch sei, die Beckersche machte einen Test und sprach in ihr Wokkietokkie, alles funktionierte wunderbar. Sie sagte mir aufs Ohr, was ich tun sollte, und verstand jedes Wort von mir durch das kleine Mikrofon, das sie mir an das Halstuch geheftet hatten, klar und deutlich. «Eins, zwei, eins, zwei, Sprechprobe. Hier spricht Renate Bergmann, Spandau», sagte ich laut, und die kleine Beckerin zuckte zusammen.

«Kurt, fahr schon mal den Wagen vor!», rief Ilse aufgeregt, und wir mussten alle ein bisschen schmunzeln. Kennen Se das noch, aus dem «Derrick»? Der mit dem Haarteil auf dem Kopf. Das war noch schöner Krimi, den konnte man gucken. Da haben sie nicht einfach abgeschnittene Gliedmaßen ins Bild gehalten! Das ist mir heute alles zu gruselig, sage ich Ihnen. Nee, ich gucke keine Krimis mehr. Erstens gibt es zu viel Blut, zweitens sagen die Gerichtsmediziner IMMER: «Genaueres kann ich erst nach der Obduktion sagen», und wenn die Leiche eine Frau war, war sie drittens IMMER schwanger. Und dann geht es oft gar nicht um Krimi, sondern darum, wer die größte Macke hatte. Nee, das sollen mal die Jüngeren gucken, ich schalte da ab. Beim «Derrick» wurde meist in hübschen Villen in Münchener Nobelvororten ermittelt, gerne mit Personal und Dienerschaft. Es ging oft darum, dass der Vater Fabrikbesitzer war und der jüngere Sohn den älteren erschossen hat. Der Hauptkommissar Derrick fragte ein bisschen rum, kommandierte den Assistenten Harry ein bisschen mit dem Wagen, ließ ihn hier und da anrufen und die Alibis prüfen, und nach einer Stunde war er fertig und hatte den Täter gefangen. Der jüngere Sohn wurde verhaftet, die Köchin hat ein bisschen geweint, und man konnte um halb zehn ins Bett.

Wir düsten los zum Marktplatz. Ich fuhr im Polizeiauto mit. Die Kommissare waren ja nicht im Streifenwagen gekommen, sondern mit einer luxuriösen Limousine. Ein wunderbarer Wagen. Kein Vergleich zum Koyota, in dem uns Ilse, Kurt und Gertrud mit Norbert folgten. Sicher, der ist auch sehr solide und gediegen und reicht für die Gläsers gut hin, aber der Zivilschlitten von der Polizei hatte weiche Lederpolster. Die Kommissarin fuhr im Gegensatz zu Kurt ohne Zwischengas beim Schalten, das machte die Reise sehr angenehm und ruhig. Wir fuhren nicht weit, die letzten 200 Meter musste ich sowieso zu Fuß gehen. Schließlich sollten die Gängster sehen, dass ich allein kam. Hinter dem Polizeiwagen parkte Kurt den Koyota gut und sicher ein. Ich atmete erleichtert auf, dass er nicht am Bordstein oder am vor ihm stehenden Wagen angehakt war, aber heute war wohl sein Glückstag. Das hätte noch gefehlt, wenn vor den Augen der Polizei was passiert wäre. Auch Ilse bekreuzigte sich erleichtert. Sie hatte beim Kaffee die Sache mit der Eheurkunde bei der Polizei angesprochen und geklärt, da kam nichts mehr nach. Es war auch ein Ilse-Tag!

Ich ging gemächlich zum Marktplatz. Mein Herz pochte ganz laut, das kann ich Ihnen sagen! Hoffentlich sendete das die Mikrofonmaschine nicht auf den Wokkietokkie der Kommissarin, sonst würde die noch die Doktersche alarmieren. Als ich am Tatort – jawoll, das war es ja, machen wir uns nichts vor – angekommen war, stand auf einmal die Schlode mit ihrer Kindergartentruppe da! Die hatte mir gerade noch gefehlt. Ich drehte mich weg und tat so, als würde ich die Auslage der Apotheke angucken. Es ging auf die Adventszeit, da schaut man sich gerne die Angebote zur Weihnachtszeit an. Es gab Doppelherz im Sparpack. Der Kinderchor war zum Glück zur goldenen Hochzeit von Kastengers unterwegs, um gesungene Grüße vorzutragen. Aber die kannte ich nur vom Sehen, da musste ich keine Karte schicken und war auch nicht eingeladen. Ich ging weiter und war gerade an der Litfaßsäule angekommen, als mich eine Frau ansprach. Die sah eigentlich ganz sympathisch aus; wenn man nicht gewusst hätte, was das für eine ist – man hätte ihr auf den Leim gehen können.

«Frau Bergmann? Irene König!»

Sie streckte mir ihre Hand entgegen und begrüßte mich mit festem, kurzem Händedruck. «Ich bin die

Sekretärin vom Notar, Sie wissen ja, worum es geht ... Moment, damit Sie ganz sicher sein können ...»

Sie drückte auf ihrem Händi rum und säuselte was von «Ja, König hier, warten Sie einen Augenblick, ich gebe Ihnen Ihre Oma».

Die Königin reichte mir das Telefon, aber bevor ich ein Wort sagen konnte, überschlugen sich die Ereignisse. Zwei Männer, die ich vorher gar nicht gesehen hatte und die plötzlich wie aus dem Asphalt gewachsen vor uns standen, stürzten sich auf die Dame und drehten ihr den Arm um. Das Miststück wand sich, fluchte und schrie Worte, die ich hier nicht aufschreiben kann, weil ja vielleicht auch Kinder mitlesen. Das Luder hatte keine Schangse. Ich hielt noch immer das Telefon in der Hand, aus dem ich auf einmal lautes Hundegebell hörte.

«Nanu», dachte ich, «das klingt fast wie Norbert!», und ich sollte recht behalten.

Der interessierte sich nämlich überhaupt nicht für die Anweisung der Kommissare, gefälligst im Auto zu warten. Ein kleiner Spalt in der Türe reichte ihm. Er kläffte wohl wie ein Wilder und hechtete wie ein Derwisch mit mächtigen Hechtsprüngen los. Gertrud lief, so schnell es eben ging, hinterher. Sie stand fast waagerecht in der Luft, wie sie sagte, aber der Hund hat Kraft ... er ruckte noch mal an, und zack, lag Gertrud auf der Chaussee und Norbert wetzte davon. Er rannte direkt in eine Nebenstraße und auf eine Frau zu, die hinter dem Springbrunnen stand und scheinbar gar nichts mit der Szenerie zu tun hatte. Erst als sie «Hilfe, so halten

Sie doch die Töle zurück» brüllte, erkannte ich durch den Hörer ohne Zweifel … die falsche Enkelin!

Alles passierte in Sichtweite, die Beckersche ist gleich mit Dienstwaffe in der Hand zu ihr hin und drehte auch ihr den Arm um. Norbert ließ von ihr ab, das Aas wand sich und strampelte wie eine Furie mit den Füßen. Ich wusste gar nicht, wie mir geschah. Lamprecht half Gertrud hoch, die sich bei ihm unterhakte und seine Nähe genoss.

Das war also das falsche Enkelinnenaas. Sie war klein, ungefähr wie ich, so eins sechzig. Schwarze Haare hatte se und war an den Armen und Händen tätowiert. Das mussten sie im Knast also nicht mehr machen, das hatte sie schon. Am liebsten wäre ich ja mit der Schlitten gefahren, das kann ich Ihnen sagen! Aber ich nahm mich zusammen, man kennt das ja: Man sagt nur ein falsches Wort und wird am Ende noch wegen Beleidigung zu längerer Haft verdonnert als die, weil sie vielleicht eine schwere Kindheit hatte.

Die Kommissarin Becker hielt die Schlange im Polizeigriff und rief nach dem Lamprecht, weil der wohl die Handschellen hatte. Der war allerdings in Gertruds Fängen und tastete auf ihrem Hintern rum, den sie sich beim Sturz angeblich geprellt hatte. Ich konnte gar nicht hingucken, sage ich Ihnen! Sie kennen Gertrud ja nun schon und wissen Bescheid. Wenn die einen Kerl zwischen die Finger kriegt, lässt sie den nicht so schnell wieder los. Auf den konnten wir jetzt also nicht warten, deshalb rief ich Kurt zu, dass er mit dem Geigenkasten kommen sollte. Schließlich hatten wir die Plüschhäschenhandschellen der Berber, und auch, wenn ich im Leben nicht damit gerechnet hätte, dass wir die mal brauchen könnten, kamen sie nun zum Einsatz.

Das Gängsterliebchen war außer Gefecht, und Kommissarin Melanie konnte ihr gegen ihren Widerstand und trotz ihres Gebrülls die rosa Handschellen anlegen. Sie guckte mich ganz verdattert an: «Frau Bergmann, wo haben Sie DIE denn her?» – «Kindchen, die hingen in der Hecke, nachdem meine Nachbarin ihren Liebhaber in die Wüste geschickt hat, und ich dachte, ich nehme die mal an mich, man weiß schließlich nie, wozu man die Dinger mal brauchen kann, nich wahr? Na ja, und Sie sehen ja, irgendwann findet alles seinen Zweck …»

Die Beckerin lachte, und als die Handschellen klickten und die Verbrecherin nicht mehr wegkonnte, plumpste mir ein Stein vom Herzen. Ich erkannte sie sofort, schließlich hatten wir an dem Nachmittag bald drei Dutzend Mal telefoniert. Auch Ilse, Kurt und Gertrud haben die Dame eindeutig identifizieren können, der Apparat war ja dann und wann auf LAUT. Gertrud platzte fast vor Stolz, weil Norbert sie gefasst hatte. «Seht ihr? Er ist doch ein guter Hund. Brav, Norbert. Feeeeeiiiin! Komm zum Frauchen!», prahlte sie. Norbert hört ja aufs Wort, so behauptet Gertrud immer. Wir haben nur noch nicht rausgefunden, auf welches – «Komm zum Frauchen» war es schon mal nicht. Norbert wollte einfach nicht von der falschen Jennifer lassen. Erst als die Polizisten sie durchsuchten und aus ihrer Hosentasche neben einem Händi, mit dem die Dame wohl die ganzen Anrufe getätigt hatte, auch eine halbe Tafel Puffreisschokolade plumpste, ließ er von ihr ab und verschlang das Zeug mit einem Bissen.

Jemand hat mir Blumen auf meinen Rollator gelegt! Sollte ich am Ende einen heimlichen Kavalier haben? Gertrud meint, das war die Mafia, aber das sagt sie nur, weil sie neidisch ist.

In den Tagen und Wochen darauf war der Teufel los.

Das Telefon stand nicht still, alle wollten sie was. Stefan und Ariane kamen am Abend und hielten mir einen Vortrag, aber das war ja nicht anders zu erwarten. Das hatte ich in Kauf genommen. Ob ich wohl noch bei Verstand war, was alles hätte passieren können und dass es wohl besser wäre, wenn sie mich in Zukunft besser kontrollieren würden, na ja, Sie können sich ja denken, dass die dachten, die hätten Oberwasser.

«Da guckt man eine Woche mal nicht so genau hin, und was macht meine alte Tante? Gründet die CSI Kukident und legt Verbrecherbanden aufs Kreuz!», tobte Stefan mit bebenden Nasenflügeln. Ich habe das nachgegockelt, aber «CSI Kukident» hat der Computer nicht gefunden. Bestimmt eine Frechheit, aber Stefan war so in Fahrt, dass ich ihn lieber nicht unterbrach. Ich kenne die Männer dieser Familie, sein Onkel, mein erster Mann Otto, war genauso. Wenn die Winklers wütend sind, muss man die toben lassen. Das geht ganz schnell vorbei, die sind wie ein Vulkan: Es bricht heftig und unvermittelt aus ihnen raus, dann geht man am besten auf die Seite und hält den Mund, sonst erwischt einen der Lavastrom. Aber nach ein paar Minuten ist es auch wieder vorbei. Wenn ich Arianes Andeutungen in unserem Von-Frau-zu-Frau-Gespräch richtig verstanden habe, gilt das übrigens für alle Bereiche des Lebens. Sie ist da nicht sehr zufrieden. Ich kann nicht viel beitragen, da hören die Parallelen nämlich auf. Wissen Se, mein Otto war damals ja schon über die 60 drüber, als wir geheiratet haben, und … na ja. Ab und an habe ich mit der Wurzelbürste unter der Bettdecke für die richtige Durchblutung gesorgt und es … ja, es dauerte ein bisschen, aber ein großer Ofen braucht eben eine Weile, bis er warm wird. Sie verstehen schon. Aber dann ging es gut. Ich wollte «danach» immer gern den Sonnenaufgang sehen, aber Otto meinte, er setzt sich nicht des Nachts auf den Balkon und wartet, bis es hell wird. Romantik war nicht so seins.

«Tante Renate, du hast nicht im Ansatz eine Ahnung, was da alles hätte passieren können und wie viel Glück ihr hattet», fuhr Stefan fort. Im Großen und Ganzen war es das schon. Stefan ist immer etwas unbeholfen, wenn er schimpft, egal ob mit mir oder mit der kleinen Lisbeth. Bei Lisbeth droht er mit der Kindergärtnerin oder dass sie ohne Sandmann ins Bett muss, bei mir ist «Ich rufe Tante Kirsten an!» das höchste Strafmaß. Einmal wollte er mir das Händi wegnehmen. Da hatte ich wirklich Angst. Ich habe mir das aber nicht anmerken lassen, und ich hatte Glück, dass er heute nicht mit dieser Keule ankam. Wenn er wüsste, was das für eine Strafe wäre, würde er diesen Teufel wohl öfter an die Wand malen.

Natürlich ließ auch der Anruf von Kirsten nicht lange auf sich warten. Am gleichen Abend bin ich einfach nicht drangegangen. Wozu gibt es schließlich Funklöcher, frage ich Sie? Spandau liegt fast schon in Brandenburg, und Brandenburg besteht zu je einem Drittel aus Spargelfeldern, Kiefernwäldern und Funklöchern. Aber am nächsten Tag dachte ich mir: «Renate, bring es hinter dich. Nicht, dass die noch ihre Viecher einpackt und sich mit ihrer Donnerkiste auf den Weg macht.» Ich sagte nur: «Hallo mein Kind», stellte den Apparat auf Freisprechen und legte den Hörer auf den Tisch. Dann holte ich mir Wischwasser und Lappen und machte mich an die Fenster in der Wohnstube, die hatten es wirklich nötig. Ich musste nur alle paar Minuten «Ja, Kirsten» oder «Du hast ja recht» von der Leiter rufen, das genügte. Wissen Se, es ist ja doch immer dasselbe, was Kirsten erzählt. Vorwürfe, Blödsinn und Drohungen. Heim, Entmündigung und solche Dinge. Ich höre da gar nicht mehr hin, und sie erwartet nicht, dass ich mich groß äußere. Ihr reicht, dass sie sich ihren Ärger von der Seele reden kann. Ich holte sogar den Thermalmischer, die teure Kochmaschine von Kirsten, und stellte sie auf den Wohnzimmertisch. Ich habe bis heute keine wirklich sinnvolle Verwendung für den Bottich gefunden, jedenfalls nichts, was ich nicht mit meiner Blechreibe auch erledigen könnte. Aber das

Ding ist prima, um Wischwasser warm zu halten. Man stellt die Maschine auf 40 Grad und kann in Ruhe und gründlich die Rahmen schrubben, ohne dass das Wasser kalt wird.

Nach einer guten halben Stunde näherte sich unser Gespräch dem Ende, denn Kirsten begann, langsamer zu reden, und fragte, ob ich den Thermomenger fleißig benutzte. Das fragt sie in jedem Telefonat gegen Ende, das machte mir Hoffnung, dass sie bald auflegen würde. Ich konnte das bestätigen, ohne dass es eine Lüge war. So war das auch erledigt, ich hatte ungefähr fünf oder sechs Mal «Du hast ja recht, mein Kind» gesagt und derweil das Panoramafenster geputzt. Streifenfrei reine war das! Es ist ja ein Unterschied, ob man Fenster nur abwischt oder richtig putzt. Ich mache sehr gern bei Sonnenaufgang einen Spaziergang durch den Kiez. Wenn die Sonne auf die Scheiben scheint, sieht man am besten, wer die Fenster gründlich säubert, wer sie nur schluderig abwischt und wer sie gar überhaupt nicht putzt. Ja, auch wenn Sie da ungläubig gucken, muss ich Ihnen sagen: Solche liederlichen Leute gibt es.

Kirsten und Stefan hatten sich also auf- und wieder abgeregt, und ich dachte, nun wäre alles überstanden, aber da hatte ich mich verrechnet.

Die Zeitung schrieb über uns, denken Se sich das nur! Die Pressestelle von der Polizei hatte nämlich gemeint, wir wären ein Musterbeispiel für Zivilcourage. Wenn man von ein paar Eskapaden mal absah, hätten wir uns vorbildlich benommen (wenn die wüssten, dass wir uns die mit dem vorgetäuschten Leichenfund vom Leib gehalten hatten, hihi!) und wären ein Idol für andere alte Leute. Fotografiert haben se uns, denken Se sich das mal. Ilse ließ Kurt sogar seinen guten Anzug für das Bild anziehen, der, in dem er mal beerdigt werden soll. Den Quatsch mit der Urne hat sie ihm erfolgreich ausgeredet. Jonas hat für sich und den Opa zwei Karten besorgt; wenn die Bayern das nächste Mal in Berlin spielen, gehen die beiden hin. Dafür steigt Kurt wie geplant mit in das Familiengrab, wenn er mal abberufen wird. Ilse ist sehr erleichtert, kann ich Ihnen sagen!

Ilse geht ja immer damenhaft, fein und elegant gekleidet. Sie wirkte lange auf Gertrud ein, dass die was Vorzeigbares trug, und verhinderte im letzten Moment die blau geblümte Kittelschürze. Da ich – es war schließlich Herbst und schon empfindlich kühl – mein Tweedkostüm trug, wollte es der Zufall, dass wir alle drei wie alte englische Ladys aussahen. Das Foto wurde wirklich schön, und der Redakteur schrieb drunter «SOKO 4711 greift durch – Spandauer Detektivquartett legt Enkeltrick-Betrügern das Handwerk». Sie ahnen ja nicht, was wir gelacht haben! Ich habe den Artikel selbstverständlich auch Kirsten geschickt, und sogar die freute sich. Sie sagte: «Wenn der Rottweiler jetzt noch ein Collie wäre, könnte der als Lassie durchgehen.» Das ließ mich ja schon wieder den Kopf schütteln. Also, Norbert ist viel, da ist Deutsche Dogge drin, Dobermann und auch Terrier, aber kein Rottweiler. Und die verdient ihr Geld mit Kleintiertherapien, ich bitte Sie, das darf man wirklich keinem erzählen.

Das zog dann richtiggehend Kreise, sage ich Ihnen. Erst war es die Lokalzeitung, und eine Woche später meldete sich sogar das Fernsehen. Sie machten einen Bericht, und wir wurden befragt. Da hätten Se die Meiser mal sehen sollen am nächsten Morgen, ganz freundlich gegrüßt hat sie mich und «Frau Bergmann, Sie sind ja eine Berühmtheit» gesagt. Es kam sogar ein Brief von «Aktenstapel XY», dass man uns für den Bürgerpreis nomen… vorschlagen will. Da blieb mir die Spucke weg, denken Se sich das nur! Also, wenn das klappt und wir zum Eislaufrudi fahren, das wäre ja was! Ich werde Sie auf jeden Fall auf dem Laufenden halten, das verspreche ich. Noch ist nichts entschieden, wir sind erst mal nur nummeriert.

Aber das ist im Grunde ja alles nicht wichtig. Wichtig ist, dass wir die Verbrecher aufs Kreuz legen und dingfest machen konnten.

Man darf sich da nichts vormachen, wenn man einen von denen aus dem Verkehr zieht, kommen drei andere nach. Wir haben bestimmt nicht den Kopf der Bande erwischt, sondern nur ein kleines Licht, aber immerhin haben wir was getan! Wenn jeder ein bisschen aufpasst, nicht wegguckt, wenn der andere übervorteilt wird, und ein kleines bisschen Courage zeigt, kann man schon was bewegen.

Gertrud und ich sind selbstredend bei der Gerichtsverhandlung gewesen. Die beiden Madams, die wir geschnappt haben und die gleich vor Ort verhaftet wurden, haben die Kriminalisten ordentlich in die Mangel genommen und ihnen die Hölle heißgemacht. Wie sie es angestellt haben, weiß ich natürlich nicht, aber die haben ganz schnell ihre Ganovenehre vergessen und ausgepackt. Es war ein großer Prozess mit acht Angeklagten. Ich musste als Zeugin der Anklage sogar vor dem Richter aussagen, und da Gertrud alles bestätigte, bekamen die Gängster zwischen vier und sechs Jahre. OHNE BEWÄHRUNG! Nun wird die Jennifer einmal im Monat von Gertruds Coiffeurin frisiert, das kommt noch auf die Strafe obendrauf, hihi.

Dass die uns auszeichneten und durch die Presse zerrten, ja, das war gut. So haben viele Menschen von dem Fall erfahren und passen nun vielleicht ein bisschen besser auf. Aber das reichte uns nicht. Lassen Se den ollen Kommissar auch eine Schlafmütze sein, Erfahrung hatte er. Man muss immer die positiven Seiten sehen und die fördern, das ist bei alten Knorrern genauso wie bei kleinen Kindern. Den Lamprecht durfte man nicht einfach von seinem Schreibtisch in den Fernsehsessel wechseln lassen, wenn er pensioniert wurde. Es wäre doch ein Jammer, wenn sein Wissen einfach so vor sich hin siechen würde! Ich finde, man muss die älteren Leute viel mehr mit einbinden, ohne sie wie alte Leute zu behandeln. Ich schlug vor, gemeinsam Vorträge im Seniorenverein zu halten. Seniorenverein, merken Se?

Nicht Rentnerclub. Ich habe das mit Absicht geschrieben, weil wir auch Wilma Kuckert dabeihaben. Lassen Se die sein, wie sie will – als Witwe eines Rechtsanwalts macht sie bei den Vorträgen immer eine Menge Eindruck auf die älteren Herrschaften. Sicher, sie hat nicht den Hauch einer Ahnung von diesen Dingen, aber sie macht eben was her. Die Kuckertsche ist übrigens ganz angetan vom Neupensionär Lamprecht, was meinen Se, was Gertrud da für eine Konkurrenz erwächst. Aber ich will nicht abschweifen, ich höre schon das Fräulein vom Verlag. «Nicht so viele Nebentatorte, Frau Bergmann, und keine Schleifen. Bleiben Sie bei Ihrem Fall und kommen Sie langsam zum Schluss», sagt se immer. Wie dem auch sei: Wir geben Tipps, wie man sich vor Halunken schützt, die einem ans Ersparte wollen – oder vor Taschendieben, Sittenstrolchen und anderen Rabauken.

Ja, so machen wir das jetzt. Gertrud, Ilse und Kurt sind selbstverständlich mit im Boot. Gemeinsam mit Kommissar Lamprecht ziehen wir durch die Altenvereine und Seniorenheime und helfen da beim Aufklären mit. Also, jetzt nicht, was Sie denken, nichts mit Blümchen und Bienchen. Nee, wir wollen den Alten die Augen öffnen und ihnen Hinweise geben, wie sie sich verhalten sollen, wenn fremde Leute anrufen und ihnen an die Schatulle wollen. Wir müssen da nicht alle immer mit, das geht ja auch gar nicht. Man hat schließlich sein Tun, nicht wahr? Es reicht, wenn der Lamprecht immer einen oder zwei von uns dabeihat, die anschaulich berichten, was uns widerfahren ist und wie wir uns gewehrt haben.

Gertrud dürfen wir allerdings nicht noch mal allein mit dem Kommissar loslassen; nicht nur, dass die dann wieder die Blusenknöpfe aufmacht und am Ende noch eine Anzeige wegen Belästigung einer Amtsperson – wenn auch im Ruhestand – bekommt, nein, die schmückt die Geschichte immer so aus, dass es klingt wie James Bunt. Gertrud rundet die Summen auf ein paar Millionen auf, erfindet einen Schusswechsel und erzählt ausschweifend von Liebesnächten zwischen ihr und dem Kommissar … Sie würden staunen. Wir hatten sie einmal allein mit ihm zum Frauenchor – wohlweislich nicht zum Männerchor! – geschickt. Der Lamprecht rief mich danach an und war sehr aufgebracht. Sie hat wohl so dick aufgetragen, dass sie am Ende sogar Autogramme geben musste und die Leute Selfies mit «Norbert, dem Hundedetektiv» gemacht haben. Sie hatte erzählt, Norbert hätte Leute aus brennenden Häusern gerettet und sie höchstpersönlich hätte die Verbrecher am Ende mit ihrem Büstenhalter an den Stuhl gefesselt, bis die Polizei kam. Dabei würde der Hund, wenn er überhaupt eine Fährte fände, die Ermittlertruppe bestenfalls zum Fleischer führen, wo Gertrud immer seine Lieblingsknochen kauft. Jetzt fährt immer einer von uns mit Gertrud mit und hält sie im Zaum.

Ja, so kommen wir viel rum und haben schon ein paar Dutzend Vorträge gehalten mit dem Herrn Lamprecht.

Wenn wir nur einen Betrugsfall verhindern, haben wir mehr erreicht als alle Folgen «Tatort» zusammen!

Weitere Titel von Renate Bergmann

Renate Bergmann
Besser als Bus fahren

«Was braucht man denn als alter Mensch groß? Die Rente reicht für die Miete, und ich kann mir trotzdem noch eine Busfahrt leisten und einen schönen Urlaub mit Gertrud ein-, zweimal im Jahr.

Man muss das Leben genießen, solange man noch krauchen kann! Wer weiß denn, wie lange wir noch reisen können ohne Pflegekraft? Also sind wir los und haben eine Kreuzfahrt gemacht. Die fahren gar nicht über Kreuz, sondern eine große Schleife. Wussten Sie das?

Wir haben viel erlebt. Ich habe den ganzen Schrank voll mit neuen flauschigen Handtüchern, und im Froster ist Dauerwurst für bis Ostern hin!»

256 Seiten

Weitere Informationen finden Sie unter www.rowohlt.de